RACINE

IPHIGÉNIE

TRAGÉDIE

TEXTE INTÉGRAL

Classiques Hachette

KU-342-949

*Texte conforme à l'édition
des Grands Écrivains de la France.*

*Notes explicatives, questionnaires, bilans,
documents et parcours thématique*

*établis par
Marie-Rose ROUGIER,
professeur agrégé des Lettres.*

Ernest Nabialek 2nde 1

Crédits photographiques :

pp. 4, 8, 9 (frontispice de l'édition Barbin de 1676), 108, 118, 125 (Gravure de François Chauveau pour une illustration d'*Iphigénie,* datant de 1687. Paris, Bibliothèque Nationale, Estampes), 127 (B. N., Estampes), 154, 183, 192 : photographies Hachette.

p. 17 : photographie R. B. Fleming et co Ltd.

pp. 30 (photo Marc Enguérand), p. 37 (photo Brigitte Enguérand), p. 62 (photo Brigitte Enguérand), p. 107 (photo Marc Enguérand) : photographies Enguérand.

pp. 40, 83 : photographies Archives photographiques.

pp. 51, 84 (Denise Noel dans *Iphigénie en Aulide,* mise en scène d'André Jolivet, Comédie-Française, 1949), 100 : photographies Bernand.

pp. 65, 69, 81 : photographies Courrault/Enguérand.

p. 163 : photographie Roger-Viollet.

p. 175 : photographie Kunsthistoriches Museum.

Les mots suivis d'une puce ronde (•) renvoient au glossaire des noms propres, p. 184, ou au lexique racinien, p. 186. Les mots suivis d'un astérisque (*) renvoient à l'index grammatical, p. 188, ou au lexique littéraire, p. 189.

© HACHETTE LIVRE 2007, 43, quai de Grenelle 75905 Paris Cedex 15

ISBN : 978-2-01-169487-4

www.biblio-hachette.com

Portrait de Racine par Jean-Baptiste Santerre.
Collection de Monsieur le Vicomte Henri de Galard Terraube.

Le 18 août 1674, la cour, réunie à Versailles pour
fêter la victoire de l'armée française en Franche-
Comté, assiste, en présence du roi, à la représentation
d'Iphigénie. Le règne de Louis XIV est à son apogée,
et, dans une profusion de marbre, d'or et de fleurs,
le parc de la nouvelle résidence royale vit
l'un de ses plus beaux soirs de gloire.

C'est aussi pour Racine le couronnement de sa
carrière dramatique, commencée dix ans plus tôt
malgré la désapprobation de ses maîtres jansénistes et
contre les préjugés d'une critique éprise de sublime
cornélien. Curieusement, cette tragédie, où l'amour
n'occupe qu'une place secondaire, lui vaut son plus
grand triomphe, un véritable succès d'attendrissement.

La cour s'émeut des malheurs d'une âme jeune et
innocente dont les dieux exigent l'injuste sacrifice,
et, selon un compte rendu de l'époque,
elle ne peut retenir ses larmes :
« L'on vit maints des plus beaux yeux
voire des plus impérieux
pleurer sans aucun artifice. »

Les imaginations sont frappées par la solennité d'un
sujet qui, pour la première fois, situe les conflits entre
les hommes et les dieux. Cette irruption du sacré,
tout en donnant à la dramaturgie racinienne une
inflexion nouvelle, rend plus dérisoires encore les
aspirations humaines aux grandeurs et à l'héroïsme.

Ainsi, l'ancien élève de Port-Royal, après avoir
définitivement évincé son vieux rival, Corneille,
impose à la société la plus raffinée de son temps sa
sombre vision de l'existence. Parallèlement, il poursuit
son ascension sociale. Protégé du roi et comblé
d'honneurs – il a été élu à l'Académie française en
1672 et vient tout juste d'être nommé Trésorier de
France –, il peut répondre avec plus de sérénité
à la cabale suscitée par ses ennemis,
jaloux de sa consécration.

Iphigénie sera présentée quelques mois plus tard au
public parisien, et son succès dépassera ceux, déjà
mémorables, d'Andromaque et de Bérénice.

IPHIGÉNIE DANS L'ÉVOLUTION
DE LA TRAGÉDIE

En 1550 paraît la première tragédie française, l'*Abraham sacrifiant* de Théodore de Bèze. Dans ce drame religieux, resté proche des mystères du Moyen Âge, on perçoit un écho de l'*Iphigénie* d'Euripide (ve s. av. J.-C.).

La tragédie humaniste GARNIER (1545-1590) MONTCHRESTIEN (1575-1621)	La tragédie humaniste continue à s'inspirer de la Bible, mais, sous l'influence de Sénèque, elle emprunte de plus en plus ses sujets à l'Antiquité païenne. Lyrique pour l'essentiel (longues lamentations, chants du chœur), elle ne laisse qu'une place très restreinte à l'action. Souvent, elle débouche sur une leçon morale et religieuse.
La tragi-comédie HARDY (1570-1632) VIAU (1590-1626)	Apparue au début du XVIIe siècle et liée à l'essor du baroque, la tragi-comédie mêle les tons (tragique et comique), introduit des personnages de rangs divers et ne se soucie guère de régularité. Elle aborde des sujets atroces : morts sanglantes, massacres et supplices sont représentés sur scène avec un réalisme outré. Les personnages, engagés dans des intrigues enchevêtrées, sont animés de passions violentes. Ce genre restera en vogue jusque vers 1640.
La tragédie héroïque ROTROU (1609-1650) CORNEILLE (1606-1684)	À partir de 1634, l'évolution du goût impose un retour à plus de régularité : action dense mais unifiée, lieux rapprochés, journée unique. Émanation d'une société encore féodale, le théâtre héroïque exalte une morale généreuse et optimiste : grandeur, ambition, vaillance, vertu, gloire, assumées par des êtres d'exception et dignes d'admiration. Cet idéal aristocratique élève jusqu'au sublime les « grandes âmes » cornéliennes.
La tragédie racinienne RACINE (1639-1699)	La tragédie racinienne se développe dans le cadre nouveau de la monarchie absolue et porte la marque du jansénisme : liberté très restreinte de l'individu soumis à la fatalité ; mise à nu du cœur humain, passions destructrices, division du moi. La compassion et la terreur deviennent les ressorts essentiels de l'émotion tragique. La pureté formelle est atteinte grâce à l'observation stricte des règles.

*Trois cents ans après sa création, Iphigénie
n'a rien perdu de sa densité émotive. Elle reste l'une
des plus belles réussites de Racine, au même titre
qu'Andromaque ou Phèdre, également inspirées
de la mythologie grecque. C'est certainement
la tragédie qui a le mieux contribué à établir
la réputation du « tendre Racine ».
Il est vrai que les déchirements d'Agamemnon
et le dévouement d'Iphigénie, mués en lamentos
par les grâces d'une poésie si pure, illuminent
ce sombre drame de la légende des Atrides.
Et, derrière la barbarie d'une situation qui semble
renvoyer à des temps primitifs, se profile
une humanité atemporelle, en proie à des conflits
où se déchaînent les passions humaines.
C'est bien toute la misère de notre condition
que nous percevons dans ces malentendus
qui mettent aux prises des êtres que tout devrait unir,
divisent les représentants du pouvoir et amènent
les hommes à se révolter contre les dieux.
Symbole d'un monde déchu qui ne peut être sauvé
que par le sacrifice d'une victime expiatoire,
Iphigénie devient, sous nos yeux,
la tragédie des illusions trompeuses,
de l'incapacité des hommes à maîtriser leur destin,
et de la négation de la grandeur humaine
en regard de la toute-puissance divine,
symbolisée par le couteau de Calchas.
C'est pourquoi le spectateur/lecteur d'aujourd'hui
est peut-être plus sensible à la violence qui,
sous le voile de l'éloquence et de la poésie,
livre à la « tendresse » un combat sans merci.
Car, dans cet épisode qui prélude
à dix années de guerre, l'innocence et la vertu,
sous les traits d'une adolescente exaltée,
amoureuse de la vie mais capable aussi
d'atteindre à un idéal élevé, sont devenues
la proie de dieux avides de sang
et d'hommes dominés par leurs passions.*

Gravure de George Vertue à Londres.
Sous le portrait, un quatrain de Boileau.
Paris, Bibliothèque de la Comédie-Française.

IPHIGENIE

TABLEAU GÉNÉALOGIQUE

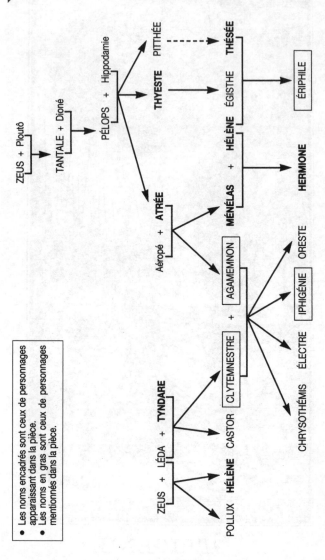

- Les noms encadrés sont ceux de personnages apparaissant dans la pièce.
- Les noms en gras sont ceux de personnages mentionnés dans la pièce.

PRÉFACE DE RACINE

Il n'y a rien de plus célèbre dans les poëtes[1] que le sacrifice d'Iphigénie. Mais ils ne s'accordent pas tous ensemble sur les plus importantes particularités de ce sacrifice. Les uns, comme Eschyle dans *Agamemnon*[2], Sophocle dans *Électre*[3], et après eux Lucrèce[4], Horace[5], et beaucoup d'autres, veulent[6] qu'on ait en effet[7] répandu le sang d'Iphigénie, fille d'Agamemnon, et qu'elle soit morte en Aulide•. Il ne faut que lire Lucrèce, au commencement de son premier livre :

> *Aulide quo pacto Triviai virginis aram*
> *Iphianassai turparunt sanguine fœde*
> *Ductores Danaum,* etc[8].

Et Clytemnestre dit, dans Eschyle[9], qu'Agamemnon son mari, qui vient d'expirer, rencontrera dans les enfers Iphigénie, sa fille, qu'il a autrefois immolée.
D'autres ont feint[10] que Diane•, ayant eu pitié de cette jeune princesse, l'avait enlevée et portée dans la Tauride[11], au moment qu'on l'allait sacrifier, et que la déesse avait fait trouver en sa place ou une biche, ou une autre

---

1. *dans les poëtes* : dans la poésie.
2. *Agamemnon* : dans cette tragédie, Eschyle (525-455 av. J.-C.) raconte comment Agamemnon fut sauvagement assassiné, à son retour de la guerre de Troie, par Clytemnestre et Égisthe.
3. *Électre* : tragédie de Sophocle (496-406 av. J.-C.), qui a pour thème la vengeance du meurtre d'Agamemnon par Oreste et Électre.
4. *Lucrèce* : poète latin (Iᵉʳ s. av. J.-C.), auteur du *De rerum natura* (De la nature), œuvre qui tente de donner une explication matérialiste de l'univers physique.
5. *Horace* : autre poète latin du Iᵉʳ s. av. J.-C. Il évoque le sacrifice d'Iphigénie dans l'une de ses *Satires* (II, 3, v. 199-200).
6. *veulent* : prétendent.
7. *en effet* : réellement.
8. *Danaum, etc.* : « C'est ainsi qu'à Aulis, les chefs des Grecs souillèrent honteusement l'autel de la vierge Trivia (Diane) en répandant le sang d'Iphianassa (Iphigénie). »
9. *dans Eschyle* : in *Agamemnon*, v. 1555-1559.
10. *ont feint* : ont imaginé.
11. *Tauride* : Crimée.

11

20 victime de cette nature. Euripide[1] a suivi cette fable, et
Ovide l'a mise au nombre des *Métamorphoses*[2].
Il y a une troisième opinion, qui n'est pas moins
ancienne que les deux autres, sur Iphigénie. Plusieurs
auteurs, et entre autres Stésichorus[3], l'un des plus
25 fameux et des plus anciens poètes lyriques, ont écrit
qu'il était bien vrai qu'une princesse de ce nom avait été
sacrifiée, mais que cette Iphigénie était une fille qu'Hé-
lène• avait eue de Thésée•. Hélène, disent ces auteurs,
ne l'avait osé avouer[4] pour sa fille, parce qu'elle n'osait
30 déclarer à Ménélas• qu'elle eût été mariée en secret avec
Thésée. Pausanias[5] rapporte et le témoignage et les
noms des poètes qui ont été de ce sentiment. Et il ajoute
que c'était la créance[6] commune de tout le pays
d'Argos•.
35 Homère enfin, le père des poètes, a si peu prétendu
qu'Iphigénie, fille d'Agamemnon, eût été ou sacrifiée en
Aulide•, ou transportée dans la Scythie[7], que, dans le
neuvième livre de l'*Iliade,* c'est-à-dire près de dix ans
depuis l'arrivée des Grecs devant Troie•, Agamemnon
40 fait offrir en mariage à Achille sa fille Iphigénie, qu'il a,
dit-il, laissée à Mycène•, dans sa maison.
J'ai rapporté tous ces avis si différents, et surtout le passage de Pausanias, parce que c'est à cet auteur que je
dois l'heureux personnage d'Ériphile, sans lequel je
45 n'aurais jamais osé entreprendre cette tragédie. Quelle
apparence que j'eusse souillé la scène[8] par le meurtre
horrible d'une personne aussi vertueuse et aussi aimable
qu'il fallait représenter Iphigénie ? Et quelle apparence
encore de dénouer ma tragédie par le secours d'une

---

1. *Euripide* : poète tragique grec (480-406 av. J.-C.) dont Racine est un fervent
admirateur.
2. *Métamorphoses* : vaste poème mythologique composé par Ovide, auteur latin de
la fin du Iᵉʳ s. av. J.-C.
3. *Stésichorus* : poète grec du VIᵉ s. av. J.-C. De ses œuvres, il ne nous reste que
quelques fragments.
4. *avouer* : reconnaître.
5. *Pausanias* : historien grec du IIᵉ s. ap. J.-C., auteur des *Corinthiaques*.
6. *créance* : croyance.
7. *Scythie* : région qui inclut la Tauride.
8. *Quelle apparence [...] la scène* : Comment aurais-je osé souiller la scène ?

50　déesse et d'une machine[1], et par une métamorphose qui
　　pouvait bien trouver quelque créance du temps d'Euri-
　　pide, mais qui serait trop absurde et trop incroyable
　　parmi nous ?
　　Je puis dire donc que j'ai été heureux de trouver dans les
55　Anciens cette autre Iphigénie, que j'ai pu représenter
　　telle qu'il m'a plu, et qui tombant dans le malheur où
　　cette amante jalouse[2] voulait précipiter sa rivale, mérite
　　en quelque façon d'être punie, sans être pourtant tout à
　　fait indigne de compassion. Ainsi le dénouement de la
60　pièce est tiré du fond même de la pièce. Et il ne faut que
　　l'avoir vu représenter pour comprendre quel plaisir j'ai
　　fait au spectateur, et en sauvant à la fin une princesse
　　vertueuse pour qui il s'est si fort intéressé dans le cours
　　de la tragédie, et en la sauvant par une autre voie que
65　par un miracle, qu'il n'aurait pu souffrir•, parce qu'il ne
　　le saurait jamais croire.
　　Le voyage d'Achille à Lesbos•, dont ce héros se rend
　　maître, et d'où il enlève Ériphile avant que de venir en
　　Aulide•, n'est pas non plus sans fondement. Euphorion
70　de Chalcide[3], poète très connu parmi les Anciens, et
　　dont Virgile[4] et Quintilien[5] font une mention honorable,
　　parlait de ce voyage de Lesbos. Il disait dans un de ses
　　poèmes, au rapport de Parthénius, qu'Achille avait fait la
　　conquête de cette île avant que de joindre l'armée des
75　Grecs, et qu'il y avait même trouvé une princesse qui
　　s'était éprise d'amour pour lui.
　　Voilà les principales choses en quoi je me suis un peu
　　éloigné de l'économie[6] et de la fable[7] d'Euripide. Pour ce
　　qui regarde les passions, je me suis attaché à le suivre

1.　*machine* : machinerie sophistiquée qu'on utilisait au théâtre pour les dénouements surnaturels.
2.　*cette amante jalouse* : Ériphile.
3.　*Euphorion de Chalcide* : poète grec du IIIᵉ s. av. J.-C.
4.　*Virgile* : poète latin du Iᵉʳ s. av. J.-C., auteur de l'*Énéide*. Il parle d'Euphorion
dans les *Bucoliques* (X).
5.　*Quintilien* : écrivain latin (Iᵉʳ s. ap. J.-C.), auteur d'un traité sur l'*Institution
oratoire*.
6.　*l'économie* : l'organisation générale.
7.　*la fable* : l'intrigue.

13

80 plus exactement. J'avoue que je lui dois un bon nombre
des endroits qui ont été les plus approuvés dans ma
tragédie. Et je l'avoue d'autant plus volontiers que ces
approbations m'ont confirmé dans l'estime et dans la
vénération que j'ai toujours eu[1] pour les ouvrages qui
85 nous restent de l'Antiquité. J'ai reconnu avec plaisir, par
l'effet qu'a produit sur notre théâtre tout ce que j'ai imité
ou d'Homère ou d'Euripide, que le bon sens et la raison
étaient les mêmes dans tous les siècles. Le goût de Paris
s'est trouvé conforme à celui d'Athènes. Mes spectateurs
90 ont été émus des mêmes choses qui ont mis autrefois en
larmes le plus savant peuple de la Grèce, et qui ont fait
dire qu'entre les poètes Euripide était extrêmement tragique, τραγικώτατος, c'est-à-dire qu'il savait merveil-
leusement exciter la compassion et la terreur, qui sont
95 les véritables effets de la tragédie[2].
Je m'étonne, après cela, que des Modernes[3] aient témoi-
gné depuis peu tant de dégoût pour ce grand poète, dans
le jugement qu'ils ont fait de son *Alceste*[4]. Il ne s'agit
point ici de l'*Alceste*. Mais en vérité j'ai trop d'obligation
100 à Euripide pour ne pas prendre quelque soin de sa
mémoire, et pour laisser échapper l'occasion de les
réconcilier avec ces Messieurs. Je m'assure[5] qu'il n'est si
mal dans leur esprit que parce qu'ils n'ont pas bien lu
l'ouvrage sur lequel ils l'ont condamné. J'ai choisi la
105 plus importante de leurs objections, pour leur montrer
que j'ai raison de parler ainsi. Je dis la plus importante
de leurs objections. Car ils la répètent à chaque page, et

---

1. *eu* : eues.
2. *effets de la tragédie* : Racine s'inspire ici des idées d'Aristote (384-322 av. J.-C.)
développées dans la *Poétique*, et notamment de la théorie de la « purgation » (cathar-
sis) selon laquelle la tragédie, en suscitant des émotions fortes (terreur et pitié),
libère l'homme de ses passions.
3. *Modernes* : Racine, partisan des Anciens, vise surtout Pierre Perrault. Celui-ci
venait de publier un dialogue dans lequel il critiquait l'*Alceste* d'Euripide et vantait
les mérites de l'opéra de Lulli et de Quinault, composé sur le même sujet.
4. *Alceste* : tragédie d'Euripide (438 av. J.-C.), qui a pour thème le dévouement
d'Alceste : pour sauver son mari, Admète, condamné par les dieux à mourir, la jeune
femme offre généreusement sa vie en échange.
5. *je m'assure* : je suis sûr.

ils ne soupçonnent pas seulement que l'on y puisse répliquer.

110 Il y a dans l'*Alceste* d'Euripide une scène merveilleuse, où Alceste, qui se meurt et qui ne peut plus se soutenir, dit à son mari les derniers adieux. Admète, tout en larmes, la prie de reprendre ses forces, et de ne se point abandonner elle-même. Alceste, qui a l'image de la mort
115 devant les yeux, lui parle ainsi :

> *« Je vois déjà la rame et la barque fatale.*
> *J'entends le vieux nocher[1] sur la rive infernale.*
> *Impatient, il crie : "On t'attend ici-bas ;*
> *Tout est prêt, descends, viens, ne me retarde pas." »*

120 J'aurais souhaité de pouvoir exprimer dans ces vers les grâces qu'ils ont dans l'original. Mais au moins en voilà le sens. Voici comme ces Messieurs les ont entendus[2]. Il leur est tombé entre les mains une malheureuse édition d'Euripide, où l'imprimeur a oublié de mettre dans le
125 latin à côté de ces vers un *Al.*, qui signifie que c'est Alceste qui parle ; et à côté des vers suivants un *Ad.*, qui signifie que c'est Admète qui répond. Là-dessus il leur est venu dans l'esprit la plus étrange pensée du monde. Ils ont mis dans la bouche d'Admète les paroles qu'Al-
130 ceste dit à Admète, et celles qu'elle se fait dire par Charon. Ainsi ils supposent qu'Admète (quoiqu'il soit en parfaite santé) *pense voir déjà Charon qui le vient prendre.* Et au lieu que[3], dans ce passage d'Euripide, Charon impatient presse Alceste de le venir trouver, selon ces
135 Messieurs, c'est Admète effrayé qui est l'impatient, et qui presse Alceste d'expirer, de peur que Charon ne le prenne. *Il l'exhorte,* ce sont leurs termes, *à avoir courage, à ne pas faire une lâcheté, et à mourir de bonne grâce ;* il interrompt les adieux d'Alceste pour lui dire de se dépêcher
140 de mourir. Peu s'en faut, à les entendre, qu'il ne la fasse

---

1. *nocher* : Charon qui, sur sa barque, faisait traverser le Styx (fleuve des Enfers) aux morts.
2. *entendus* : compris.
3. *au lieu que* : alors que.

mourir lui-même. Ce sentiment leur a paru *fort vilain*. Et ils ont raison. Il n'y a personne qui n'en fût très scandalisé. Mais comment l'ont-ils pu attribuer à Euripide ? En vérité, quand toutes les autres éditions où cet *Al.* n'a
145 point été oublié, ne donneraient pas un démenti au malheureux imprimeur qui les a trompés, la suite de ces quatre vers, et tous les discours qu'Admète tient dans la même scène, étaient plus que suffisants pour les empêcher de tomber dans une erreur si déraisonnable. Car
150 Admète, bien éloigné de presser Alceste de mourir, s'écrie que *« toutes les morts ensemble lui seraient moins cruelles que de la voir en l'état où il la voit »*. Il la conjure de l'entraîner avec elle. Il ne peut plus vivre si elle meurt. Il vit en elle. Il ne respire que pour elle.
155 Ils ne sont pas plus heureux dans les autres objections. Ils disent, par exemple, qu'Euripide a fait deux *époux surannés* d'Admète et d'Alceste, que l'un est *un vieux mari*, et l'autre *une princesse déjà sur l'âge*. Euripide a pris soin de leur répondre en un seul vers, où il fait dire
160 par le chœur qu'« *Alceste, toute jeune, et dans la première fleur de son âge, expire pour son jeune époux »*.
Ils reprochent encore à Alceste qu'elle a[1] deux grands enfants à marier. Comment n'ont-ils point lu le contraire en cent endroits, et surtout dans ce beau récit
165 où l'on dépeint *« Alceste mourante au milieu de ses deux petits enfants qui la tirent, en pleurant, par la robe, et qu'elle prend sur ses bras l'un après l'autre pour les baiser »* ?
Tout le reste de leurs critiques est à peu près de la force
170 de celles-ci. Mais je crois qu'en voilà assez pour la défense de mon auteur. Je conseille à ces messieurs de ne plus décider[2] si légèrement sur les ouvrages des Anciens. Un homme tel qu'Euripide méritait au moins qu'ils l'examinassent, puisqu'ils avaient envie de le
175 condamner. Ils devaient se souvenir de ces sages paroles de Quintilien : « Il faut être extrêmement circonspect et très retenu à prononcer sur les ouvrages de ces grands

---

1. *qu'elle a* : le fait qu'elle ait.
2. *décider* : se prononcer.

hommes, de peur qu'il ne nous arrive, comme à plusieurs, de condamner ce que nous n'entendons* pas. Et
180 s'il faut tomber dans quelque excès, encore vaut-il mieux pécher en admirant tout dans leurs écrits, qu'en y blâmant beaucoup de choses. » *Modeste tamen et circumspecto judicio de tantis viris pronuntiandum est, ne (quod plerisque accidit) damnent quae non intelligunt. Ac*
185 *si necesse est in alteram errare partem, omnia eorum legentibus placere quam multa displicere maluerim*[1].

Le sacrifice d'Iphigénie, détail d'une amphore, British museum.

---

1. Cette longue citation de Quintilien (*Institution oratoire*, X, 1, 26) a été traduite par Racine dans les lignes qui précèdent.

PERSONNAGES

AGAMEMNON.

ACHILLE.

ULYSSE.

CLYTEMNESTRE,
femme d'Agamemnon.

IPHIGÉNIE,
fille d'Agamemnon.

ÉRIPHILE,
fille d'Hélène et de Thésée.

ARCAS, EURYBATE,
domestiques[1] d'Agamemnon.

ÆGINE,
femme de la suite de Clytemnestre.

DORIS,
confidente d'Ériphile.

TROUPE DE GARDES.

La scène est en Aulide, dans la tente d'Agamemnon.

---

1. *domestiques* : personnes attachées à la maison (latin : *domus*) d'un grand personnage. Ce sont donc des personnes d'une certaine importance.

ACTE PREMIER

SCÈNE 1. AGAMEMNON, ARCAS

AGAMEMNON

    Oui, c'est Agamemnon, c'est ton roi qui t'éveille.
    Viens, reconnais la voix qui frappe ton oreille.

ARCAS

    C'est vous-même, seigneur! Quel important besoin
    Vous a fait devancer l'aurore de si loin?
5 À peine un faible jour vous éclaire et me guide.
    Vos yeux seuls et les miens sont ouverts dans l'Aulide•.
    Avez-vous dans les airs entendu quelque bruit?
    Les vents nous auraient-ils exaucés cette nuit?
    Mais tout dort, et l'armée, et les vents, et Neptune•.

AGAMEMNON

10 Heureux qui satisfait de son humble fortune•,
    Libre du joug superbe• où* je suis attaché,
    Vit dans l'état obscur où les dieux l'ont caché!

ARCAS

    Et depuis quand, seigneur, tenez-vous ce langage?
    Comblé de tant d'honneurs•, par quel secret outrage
15 Les dieux, à vos désirs toujours si complaisants,
    Vous font-ils méconnaître[1] et haïr leurs présents?
    Roi, père, époux heureux, fils du puissant Atrée•,
    Vous possédez des Grecs la plus riche contrée.
    Du sang• de Jupiter• issu de tous côtés,
20 L'hymen• vous lie encore aux dieux dont vous sortez.
    Le jeune Achille enfin, vanté par tant d'oracles,
    Achille, à qui le ciel promet tant de miracles[2],
    Recherche votre fille, et d'un hymen si beau

---

1. *méconnaître* : mésestimer.
2. *miracles* : exploits remarquables.

Veut dans Troie* embrasée allumer le flambeau[1].
25 Quelle gloire*, seigneur, quels triomphes égalent
Le spectacle pompeux* que ces bords* vous étalent,
Tous ces mille[2] vaisseaux, qui chargés de vingt[2] rois,
N'attendent que les vents pour partir sous vos lois ?
Ce long calme, il est vrai, retarde vos conquêtes ;
30 Ces vents, depuis trois mois enchaînés sur nos têtes,
D'Ilion* trop longtemps vous ferment le chemin.
Mais parmi tant d'honneurs*, vous êtes homme enfin :
Tandis que[3] vous vivrez, le sort*, qui toujours change,
Ne vous a point promis un bonheur sans mélange.
35 Bientôt... Mais quels malheurs dans ce billet tracés
Vous arrachent, seigneur, les pleurs que vous versez ?
Votre Oreste* au berceau va-t-il finir sa vie ?
Pleurez-vous Clytemnestre, ou bien Iphigénie ?
Qu'est-ce qu'on vous écrit ? Daignez m'en avertir.

AGAMEMNON
40 Non, tu ne mourras point, je n'y puis consentir.

ARCAS
Seigneur...

AGAMEMNON
        Tu vois mon trouble* ; apprends ce qui le
                                      [cause,
Et juge s'il est temps, ami, que je repose.
Tu te souviens du jour qu'en* Aulide* assemblés
Nos vaisseaux par les vents semblaient être appelés.
45 Nous partions ; et déjà par mille cris de joie
Nous menacions de loin les rivages de Troie.
Un prodige étonnant* fit taire ce transport* :
Le vent qui nous flattait* nous laissa dans le port.
Il fallut s'arrêter, et la rame inutile

---

1. *le flambeau* : la torche à la lumière de laquelle, dans la Grèce antique, on accueillait une jeune épousée dans sa nouvelle demeure.
2. *mille* et *vingt* : ne renvoient pas à des chiffres précis mais imposent l'idée d'une grande quantité.
3. *tandis que* : tant que.

50 Fatigua[1] vainement une mer immobile.
  Ce miracle• inouï me fit tourner les yeux
  Vers la divinité qu'on adore en ces lieux[2].
  Suivi de Ménélas•, de Nestor•, et d'Ulysse,
  J'offris sur ses autels un secret sacrifice.
55 Quelle fut sa réponse ! Et quel devins-je, Arcas,
  Quand j'entendis ces mots prononcés par Calchas• !
  Vous armez contre Troie• une puissance vaine•,
  Si dans un sacrifice auguste et solennel
          Une fille du sang• d'Hélène•
60 *De Diane• en ces lieux n'ensanglante l'autel.*
  Pour obtenir les vents que le ciel vous dénie[3],
          Sacrifiez Iphigénie.

ARCAS
  Votre fille !

AGAMEMNON
          Surpris, comme tu peux penser,
  Je sentis dans mon corps tout mon sang se glacer.
65 Je demeurai sans voix, et n'en repris l'usage
  Que par mille sanglots qui se firent passage.
  Je condamnai les dieux, et sans plus rien ouïr•,
  Fis vœu sur leurs autels de leur désobéir.
  Que n'en croyais-je alors ma tendresse alarmée ?
70 Je voulais sur-le-champ congédier l'armée.
  Ulysse en apparence approuvant mes discours,
  De ce premier torrent laissa passer le cours.
  Mais bientôt rappelant sa cruelle• industrie[4],
  Il me représenta[5] l'honneur• et la patrie,
75 Tout ce peuple, ces rois à mes ordres soumis,
  Et l'empire d'Asie• à la Grèce promis :
  De quel front immolant tout l'État à ma fille,
  Roi sans gloire•, j'irais vieillir dans ma famille !
  Moi-même (je l'avoue avec quelque pudeur),

---

1. *fatigua* : battit à coups répétés.
2. *la divinité qu'on adore en ces lieux* : Diane (Artémis).
3. *dénie* : refuse.
4. *industrie* : habileté, ingéniosité.
5. *représenta* : rappela.

80 Charmé° de mon pouvoir, et plein de ma grandeur,
Ces noms de roi des rois et de chef de la Grèce
Chatouillaient[1] de mon cœur l'orgueilleuse faiblesse.
Pour comble de malheur, les dieux toutes les nuits,
Dès qu'un léger sommeil suspendait mes ennuis°,
85 Vengeant de leurs autels le sanglant privilège[2],
Me venaient reprocher ma pitié sacrilège,
Et présentant la foudre à mon esprit confus[3],
Le bras déjà levé, menaçaient mes refus[4].
Je me rendis, Arcas; et vaincu par Ulysse,
90 De ma fille, en pleurant, j'ordonnai le supplice.
Mais des bras d'une mère il fallait l'arracher.
Quel funeste° artifice° il me fallut chercher!
D'Achille, qui l'aimait, j'empruntai le langage.
J'écrivis en Argos°, pour hâter ce voyage,
95 Que ce guerrier, pressé de partir avec nous,
Voulait revoir ma fille, et partir son époux[5].

ARCAS

Et ne craignez-vous point l'impatient[6] Achille?
Avez-vous prétendu que, muet et tranquille,
Ce héros, qu'armera l'amour et la raison,
100 Vous laisse pour ce meurtre abuser de son nom?
Verra-t-il à ses yeux son amante° immolée?

AGAMEMNON

Achille était absent; et son père Pélée°,
D'un voisin ennemi redoutant les efforts,
L'avait, tu t'en souviens, rappelé de ces bords°;
105 Et cette guerre, Arcas, selon toute apparence,
Aurait dû plus longtemps prolonger son absence.

---

1. *chatouillaient* : flattaient secrètement.
2. *vengeant de leurs autels le sanglant privilège* : faisant prévaloir leur droit à exiger des sacrifices où le sang coule.
3. *confus* : troublé parce qu'il ne sait plus ce qu'il doit faire, mais aussi gêné vis-à-vis des dieux.
4. *menaçaient mes refus* : me menaçaient parce que je refusais de me soumettre à leur volonté.
5. *et partir son époux* : et partir après être devenu son époux.
6. *impatient* : fougueux, qui ne supporte pas la contrainte.

Mais qui peut dans sa course arrêter ce torrent ?
Achille va combattre, et triomphe en courant ;
Et ce vainqueur, suivant de près sa renommée[1],
110 Hier avec la nuit arriva dans l'armée.
Mais des nœuds• plus puissants me retiennent le bras.
Ma fille, qui s'approche, et court à son trépas ;
Qui loin de soupçonner un arrêt si sévère•,
Peut-être s'applaudit des bontés de son père,
115 Ma fille... Ce nom seul, dont les droits sont si saints,
Sa jeunesse, mon sang•, n'est pas ce que je plains.
Je plains mille vertus, une amour* mutuelle,
Sa piété• pour moi, ma tendresse pour elle,
Un respect qu'en son cœur rien ne peut balancer•,
120 Et que j'avais promis de mieux récompenser.
Non, je ne croirai point, ô ciel, que ta justice
Approuve la fureur• de ce noir• sacrifice.
Tes oracles sans doute ont voulu m'éprouver ;
Et tu me punirais si j'osais l'achever.
125 Arcas, je t'ai choisi pour cette confidence :
Il faut montrer ici ton zèle• et ta prudence[2].
La reine, qui dans Sparte• avait connu ta foi•,
T'a placé dans le rang que tu tiens près de moi.
Prends cette lettre ; cours au-devant de la reine,
130 Et suis sans t'arrêter le chemin de Mycène•.
Dès que tu la verras, défends-lui d'avancer.
Et rends-lui[3] ce billet que je viens de tracer.
Mais ne t'écarte point : prends un fidèle guide.
Si ma fille une fois met le pied dans l'Aulide•,
135 Elle est morte. Calchas•, qui l'attend en ces lieux,
Fera taire nos pleurs, fera parler les dieux ;
Et la religion, contre nous irritée,
Par les timides• Grecs sera seule écoutée.
Ceux même dont ma gloire• aigrit• l'ambition
140 Réveilleront leur brigue et leur prétention,
M'arracheront peut-être un pouvoir qui les blesse...

---

1. *suivant de près sa renommée* : dont les actes coïncident avec ce que laisse croire
sa réputation.
2. *prudence* : sagesse et savoir-faire.
3. *rends-lui* : remets-lui.

Va, dis-je, sauve-la de ma propre faiblesse.
Mais surtout ne va point, par un zèle° indiscret[1],
Découvrir à ses yeux mon funeste° secret.
145 Que, s'il se peut, ma fille, à jamais abusée,
Ignore à quel péril je l'avais exposée.
D'une mère en fureur° épargne-moi les cris,
Et que ta voix s'accorde avec ce que j'écris.
Pour renvoyer la fille et la mère offensée,
150 Je leur écris qu'Achille a changé de pensée,
Et qu'il veut désormais jusques à son retour
Différer cet hymen° que pressait° son amour.
Ajoute, tu le peux, que des froideurs d'Achille
On accuse en secret cette jeune Ériphile
155 Que lui-même captive amena de Lesbos°,
Et qu'auprès de ma fille on garde dans Argos°.
C'est leur en dire assez : le reste, il le faut taire.
Déjà le jour plus grand nous frappe et nous éclaire,
Déjà même l'on entre, et j'entends quelque bruit.
160 C'est Achille. Va, pars. Dieux ! Ulysse le suit.

---

1. *indiscret* : excessif, déplacé.

Questions

Compréhension

1. *Quelle est la fonction de cette première scène ? Qui sont les personnages en présence ?*

2. *À quelle légende se rattache le sujet de la pièce ? Quelles données en sont ici rappelées ?*

3. *Quels effets de surprise la progression dramatique de la scène assure-t-elle ?*

4. *Quels sont les éléments qui contribuent à créer un état de crise ?*

5. *L'image qui nous est donnée d'Agamemnon par Arcas (v. 14 à 34) correspond-elle à ce que nous en apprenons dans la suite de la scène ?*

6. *Retrouvez tous les personnages évoqués indirectement. Caractérisez-les rapidement. Vous semblent-ils fidèles à la tradition antique ?*

7. *Sous quel jour les dieux apparaissent-ils ?*

8. *Faites le bilan des forces en présence : lesquelles, dans l'état actuel des choses, favoriseront le sacrifice d'Iphigénie ? lesquelles chercheront à l'empêcher ? pour quels motifs ?*

Écriture

9. *Relevez les vers qui installent le cadre épique et merveilleux de la légende.*

10. *Quels vers expriment le mieux le désarroi d'Agamemnon ? Commentez-en les effets.*

11. *« Mais tout dort, et l'armée, et les vents, et Neptune » (v. 9) : à quoi tient la réussite de cet alexandrin ?*

Mise en scène

12. *Quels lieux sont évoqués à l'arrière-plan ? Quelle en est la valeur symbolique ?*

13. *Quelle atmosphère chercheriez-vous à recréer si vous deviez mettre en scène ce passage ?*

SCÈNE 2. Agamemnon, Achille, Ulysse

Agamemnon

Quoi! seigneur, se peut-il que d'un cours[1] si rapide
La victoire vous ait ramené dans l'Aulide•?
D'un courage naissant sont-ce là les essais?
Quels triomphes suivront de si nobles succès?
165 La Thessalie• entière, ou vaincue ou calmée,
Lesbos• même conquise en attendant l'armée[2],
De toute autre valeur éternels monuments[3],
Ne sont d'Achille oisif que les amusements.

Achille

Seigneur, honorez moins une faible conquête;
170 Et que puisse* bientôt le ciel qui nous arrête
Ouvrir un champ plus noble à ce cœur excité
Par le prix glorieux dont vous l'avez flatté!
Mais cependant, seigneur, que faut-il que je croie
D'un bruit qui me surprend et me comble de joie?
175 Daignez-vous avancer le succès• de mes vœux?
Et bientôt des mortels suis-je le plus heureux?
On dit qu'Iphigénie, en ces lieux amenée,
Doit bientôt à son sort unir ma destinée.

Agamemnon

Ma fille! Qui vous dit qu'on la doit amener?

Achille

180 Seigneur, qu'a donc ce bruit qui vous doive étonner•?

Agamemnon, *à Ulysse.*

Juste ciel! saurait-il mon funeste• artifice•?

Ulysse

Seigneur, Agamemnon s'étonne avec justice.
Songez-vous aux malheurs qui nous menacent tous?
Ô ciel! pour un hymen• quel temps choisissez-vous?

---

1. *d'un cours* : d'une course.
2. *en attendant l'armée* : pendant que vous attendiez l'armée.
3. *monuments* : témoignages.

185 Tandis qu'à nos vaisseaux la mer toujours fermée
Trouble• toute la Grèce et consume[1] l'armée ;
Tandis que pour fléchir l'inclémence des dieux,
Il faut du sang peut-être, et du plus précieux,
Achille seul, Achille à son amour s'applique ?
190 Voudrait-il insulter à la crainte publique[2],
Et que le chef des Grecs, irritant les destins[3],
Préparât d'un hymen• la pompe• et les festins ?
Ah ! Seigneur, est-ce ainsi que votre âme attendrie
Plaint le malheur des Grecs, et chérit la patrie ?

ACHILLE
195 Dans les champs phrygiens[4] les effets• feront foi[5]
Qui la chérit le plus, ou d'Ulysse ou de moi.
Jusque-là je vous laisse étaler votre zèle• :
Vous pouvez à loisir faire des vœux pour elle.
Remplissez les autels d'offrandes et de sang ;
200 Des victimes vous-même interrogez le flanc[6] ;
Du silence des vents demandez-leur la cause ;
Mais moi, qui de ce soin sur Calchas• me repose,
Souffrez•, seigneur, souffrez que je coure hâter
Un hymen dont les dieux ne sauraient s'irriter.
205 Transporté d'une ardeur qui ne peut être oisive,
Je rejoindrai bientôt les Grecs sur cette rive.
J'aurais trop de regret si quelque autre guerrier
Au rivage troyen descendait le premier.

AGAMEMNON
Ô ciel ! pourquoi faut-il que ta secrète envie•
210 Ferme à de tels héros le chemin de l'Asie• ?
N'aurai-je vu briller cette noble chaleur[7]
Que pour m'en retourner avec plus de douleur ?

---

1. *consume* : épuise.
2. *insulter à la crainte publique* : offenser par son inconscience l'ensemble des Grecs qui vivent dans la crainte.
3. *irritant les destins* : provoquant la colère des dieux.
4. *les champs phrygiens* : la plaine de Troie.
5. *feront foi* : montreront.
6. *Des victimes vous-même interrogez le flanc* : Examinez vous-même les entrailles des victimes pour connaître la volonté des dieux.
7. *chaleur* : ardeur, courage.

ULYSSE
Dieux! qu'est-ce que j'entends?

ACHILLE

Seigneur, qu'osez-vous dire?

AGAMEMNON
Qu'il faut, princes, qu'il faut que chacun se retire ;
215 Que d'un crédule espoir trop longtemps abusés,
Nous attendons les vents qui nous sont refusés.
Le ciel protège Troie• ; et par trop de présages
Son courroux nous défend d'en chercher les passages.

ACHILLE
Quels présages affreux nous marquent[1] son courroux?

AGAMEMNON
220 Vous-même consultez ce qu'il prédit de vous.
Que sert de se flatter• ? On sait qu'à votre tête
Les dieux ont d'Ilion• attaché la conquête ;
Mais on sait que pour prix d'un triomphe si beau,
Ils ont aux champs troyens marqué[2] votre tombeau ;
225 Que votre vie, ailleurs[3] et longue et fortunée,
Devant Troie en sa fleur doit être moissonnée[4].

ACHILLE
Ainsi, pour vous venger tant de rois assemblés
D'un opprobre[5] éternel retourneront comblés[6] ;
Et Pâris•, couronnant son insolente flamme[7],
230 Retiendra sans péril la sœur de votre femme !

AGAMEMNON
Hé quoi? votre valeur, qui nous a devancés,

---

1. *marquent* : révèlent.
2. *marqué* : fixé.
3. *ailleurs* : qui aurait pu être.
4. *moissonnée* : allusion à la prédiction faite à la mère d'Achille, Thétis (cf. vers 247 à 250).
5. *opprobre* : déshonneur.
6. *comblés* : chargés.
7. *couronnant son insolente flamme* : faisant triompher son amour coupable pour Hélène.

N'a-t-elle pas pris soin de nous venger assez ?
Les malheurs de Lesbos•, par vos mains ravagée,
Épouvantent encor toute la mer Égée•.
235 Troie• en a vu la flamme• ; et jusque dans ses ports,
Les flots en ont poussé le débris et les morts.
Que dis-je ? les Troyens pleurent une autre Hélène[1]
Que vous avez captive envoyée à Mycène•.
Car, je n'en doute point, cette jeune beauté
240 Garde en vain un secret que trahit sa fierté ;
Et son silence même, accusant[2] sa noblesse,
Nous dit qu'elle nous cache une illustre princesse.

ACHILLE
Non, non, tous ces détours sont trop ingénieux.
Vous lisez de trop loin dans les secrets des dieux.
245 Moi, je m'arrêterais à de vaines• menaces ?
Et je fuirais l'honneur• qui m'attend sur vos traces ?
Les Parques• à ma mère[3], il est vrai, l'ont prédit,
Lorsqu'un époux mortel fut reçu dans son lit :
Je puis choisir, dit-on, ou beaucoup d'ans sans gloire•,
250 Ou peu de jours suivis d'une longue mémoire.
Mais puisqu'il faut enfin• que j'arrive au tombeau,
Voudrais-je, de la terre inutile fardeau,
Trop avare d'un sang• reçu d'une déesse,
Attendre chez mon père une obscure vieillesse,
255 Et toujours de la gloire évitant le sentier,
Ne laisser aucun nom•, et mourir tout entier ?
Ah ! ne nous formons point ces indignes obstacles ;
L'honneur• parle, il suffit : ce sont là nos oracles.
Les dieux sont de nos jours les maîtres souverains ;
260 Mais, seigneur, notre gloire est dans nos propres mains.
Pourquoi nous tourmenter de leurs ordres suprêmes ?
Ne songeons qu'à nous rendre immortels comme
                                                [eux-mêmes,
Et laissant faire au sort•, courons où la valeur

---

1. *une autre Hélène* : Ériphile, qu'Achille a enlevée lors du siège de Lesbos.
2. *accusant* : prouvant.
3. *à ma mère* : la nymphe Thétis.

Nous promet un destin• aussi grand que le leur.
265 C'est à Troie•, et j'y cours ; et quoi qu'on me prédise,
Je ne demande aux dieux qu'un vent qui m'y conduise ;
Et quand moi seul enfin il faudrait l'assiéger,
Patrocle• et moi, seigneur, nous irons vous venger.
Mais non, c'est en vos mains que le destin la livre.
270 Je n'aspire en effet• qu'à l'honneur• de vous suivre.
Je ne vous presse plus d'approuver les transports•
D'un amour qui m'allait éloigner de ces bords• :
Ce même amour, soigneux• de votre renommée,
Veut qu'ici mon exemple encourage l'armée,
275 Et me défend surtout de vous abandonner
Aux timides• conseils qu'on ose vous donner.

*Sylvia Bergé (Ériphile) et Céline Samie (Doris), dans une mise en scène de Yannis Kokkos.
Création au Théâtre National de Strasbourg, 1991.*

Questions

Compréhension

1. *Pour quel motif Achille est-il venu voir Agamemnon ? Sous quel aspect se présente-t-il d'abord ?*

2. *Pourquoi Agamemnon se trouve-t-il dans une situation délicate ? Comment se traduit son malaise tout au long de la scène ?*

3. *En quoi Ulysse se montre-t-il particulièrement habile ?*

4. *À la fin de la scène, quel sentiment l'emporte chez Achille ? Quels motifs dictent son choix ? L'évolution du personnage vous semble-t-elle susceptible de favoriser le salut d'Iphigénie ?*

5. *Relevez les vers qui rappellent les causes de la guerre de Troie*, et ceux qui, dans le discours d'Ulysse, font implicitement allusion au sacrifice d'Iphigénie.*

Écriture

6. *Étudiez quelques-uns des procédés stylistiques qui font ressortir le caractère fougueux d'Achille.*

7. *Quelle différence percevez-vous dans le ton qu'Achille utilise face à Agamemnon et face à Ulysse ? Comment pouvez-vous l'expliquer ?*

8. *Quelle figure de style reconnaissez-vous aux vers 225-226 ?*

Mise en scène

9. *Quels jeux de scène suggéreriez-vous pour opposer l'attitude d'Achille à celles d'Ulysse et d'Agamemnon ?*

10. *Comment imaginez-vous les costumes des « guerriers » : Ulysse, Achille et Agamemnon ?*

SCÈNE 3. Agamemnon, Ulysse

ULYSSE

Seigneur, vous entendez : quelque prix qu'il en coûte,
Il veut voler à Troie° et poursuivre sa route.
Nous craignions son amour ; et lui-même aujourd'hui
280 Par une heureuse erreur nous arme contre lui.

AGAMEMNON

Hélas !

ULYSSE

De ce soupir que faut-il que j'augure ?
Du sang° qui se révolte est-ce quelque murmure ?
Croirai-je qu'une nuit a pu vous ébranler ?
Est-ce donc votre cœur qui vient de nous parler ?
285 Songez-y. Vous devez votre fille à la Grèce,
Vous nous l'avez promise ; et sur cette promesse,
Calchas°, par tous les Grecs consulté chaque jour,
Leur a prédit des vents l'infaillible retour.
À ses prédictions si l'effet[1] est contraire,
290 Pensez-vous que Calchas continue à se taire ;
Que ses plaintes, qu'en vain vous voudrez apaiser,
Laissent mentir les dieux sans vous en accuser ?
Et qui sait ce qu'aux Grecs, frustrés de leur victime,
Peut permettre un courroux qu'ils croiront légitime ?
295 Gardez-vous de réduire un peuple furieux°,
Seigneur, à prononcer entre vous et les dieux.
N'est-ce pas vous enfin° de qui la voix pressante
Nous a tous appelés aux campagnes du Xanthe° ?
Et qui de ville en ville attestiez[2] les serments
300 Que d'Hélène° autrefois firent tous les amants°
Quand presque tous les Grecs, rivaux de votre frère,
La demandaient en foule à Tyndare° son père ?
De quelque heureux époux que l'on dût faire choix,
Nous jurâmes dès lors de défendre ses droits ;
305 Et si quelque insolent[3] lui volait sa conquête,

---

1. *l'effet* : la réalité des faits.
2. *attestiez* : preniez à témoins.
3. *insolent* : orgueilleux qui méprise les droits d'autrui.

Nos mains du ravisseur lui promirent la tête.
Mais sans vous, ce serment que l'amour a dicté,
Libres de cet amour[1], l'aurions-nous respecté ?
Vous seul, nous arrachant à de nouvelles flammes•,
310 Nous avez fait laisser nos enfants et nos femmes.
Et quand, de toutes parts assemblés en ces lieux,
L'honneur• de vous venger brille seul à nos yeux ;
Quand la Grèce, déjà vous donnant son suffrage,
Vous reconnaît l'auteur de ce fameux ouvrage[2] ;
315 Que ses rois qui pouvaient vous disputer ce rang
Sont prêts, pour vous servir, de* verser tout leur sang,
Le seul Agamemnon, refusant la victoire,
N'ose d'un peu de sang acheter tant de gloire• ?
Et dès le premier pas se laissant effrayer,
320 Ne commande les* Grecs que pour les renvoyer ?

AGAMEMNON
Ah ! seigneur, qu'éloigné du malheur qui m'opprime•,
Votre cœur aisément se montre magnanime !
Mais que si• vous voyiez ceint du bandeau[3] mortel
Votre fils Télémaque• approcher de l'autel,
325 Nous vous verrions, troublé de cette affreuse image[4],
Changer bientôt en pleurs ce superbe• langage,
Éprouver la douleur que j'éprouve aujourd'hui,
Et courir vous jeter entre Calchas• et lui !
Seigneur, vous le savez, j'ai donné ma parole,
330 Et si ma fille vient, je consens qu'on l'immole.
Mais malgré tous mes soins•, si son heureux destin•
La retient dans Argos•, ou l'arrête en chemin,
Souffrez• que sans presser• ce barbare spectacle,
En faveur de mon sang• j'explique cet obstacle,
335 Que j'ose pour ma fille accepter le secours
De quelque dieu plus doux qui veille sur ses jours.
Vos conseils sur mon cœur n'ont eu que trop d'empire• ;
Et je rougis...

---

1. *libres de cet amour* : libres depuis qu'Hélène a choisi Ménélas comme époux.
2. *ce fameux ouvrage* : ce rassemblement de l'armée grecque, dont tout le monde parle.
3. *bandeau* : bandelette dont on entourait la tête de la victime avant de la sacrifier.
4. *image* : spectacle.

Questions

Compréhension

1. *Pourquoi Ulysse feint-il d'ignorer la décision formulée par Aga-memnon dans la scène précédente ?*

2. *Sur quels arguments Ulysse s'appuie-t-il pour rappeler à Aga-memnon la nécessité du sacrifice ? Sont-ils très différents de ceux qu'il a déjà employés (v. 71 à 82) ? Qu'en concluez-vous du carac-tère d'Ulysse ?*

3. *Quel sentiment Agamemnon cherche-t-il à faire naître chez Ulysse ?*

4. *Que pensez-vous de l'accord qu'Agamemnon propose à Ulysse ? Que révèle-t-il du personnage ? Quelle en est la portée pour la suite de l'action ?*

5. *Comment comprenez-vous les vers 279-280 ?*

Écriture

6. *Analysez, dans la tirade d'Ulysse, les marques du discours de persuasion (ton, rythme des phrases, choix des termes, etc.).*

7. *Étudiez le rythme du vers 285.*

Mise en scène

8. *Entraînez-vous à réciter les vers 321 à 328 : sur quel ton faut-il les prononcer ?*

9. *Quels éléments de décor proposeriez-vous pour la mise en scène de cette tragédie ?*

SCÈNE 4. AGAMEMNON, ULYSSE, EURYBATE

EURYBATE

Seigneur...

AGAMEMNON

Ah! que vient-on me dire?

EURYBATE
La reine, dont ma course a devancé les pas,
340 Va remettre bientôt sa fille entre vos bras.
Elle approche. Elle s'est quelque temps égarée
Dans ces bois qui du camp semblent cacher l'entrée.
À peine• nous avons, dans leur obscurité,
Retrouvé le chemin que nous avions quitté.

AGAMEMNON
345 Ciel!

EURYBATE
Elle amène aussi cette jeune Ériphile,
Que Lesbos• a livrée entre les mains d'Achille,
Et qui de* son destin•, qu'elle ne connaît pas,
Vient, dit-elle, en Aulide• interroger Calchas•.
Déjà de leur abord[1] la nouvelle est semée;
350 Et déjà de soldats une foule charmée•,
Surtout d'Iphigénie admirant la beauté,
Pousse au ciel mille vœux pour sa félicité.
Les uns avec respect environnaient la reine;
D'autres me demandaient le sujet qui l'amène.
355 Mais tous ils confessaient[2] que, si jamais les dieux
Ne mirent sur le trône un roi plus glorieux,
Également comblé de leurs faveurs secrètes,
Jamais père ne fut plus heureux que vous l'êtes.

---

1. *abord* : arrivée.
2. *confessaient* : déclaraient.

AGAMEMNON

Eurybate, il suffit. Vous pouvez nous laisser.
360 Le reste me regarde, et je vais y penser.

SCÈNE 5. AGAMEMNON, ULYSSE

AGAMEMNON

Juste ciel, c'est ainsi qu'assurant ta vengeance,
Tu romps tous les ressorts[1] de ma vaine° prudence!
Encor si je pouvais, libre dans mon malheur,
Par des larmes au moins soulager ma douleur!
365 Triste° destin° des rois! Esclaves que nous sommes
Et des rigueurs du sort°, et des discours des hommes.
Nous nous voyons sans cesse assiégés de témoins;
Et les plus malheureux osent pleurer le moins!

ULYSSE

Je suis père, seigneur. Et faible comme un autre,
370 Mon cœur se met sans peine en la place du vôtre;
Et frémissant du coup qui vous fait soupirer,
Loin de blâmer vos pleurs, je suis prêt de* pleurer.
Mais votre amour n'a plus d'excuse légitime :
Les dieux ont à Calchas° amené leur victime.
375 Il le sait; il l'attend; et s'il la voit tarder,
Lui-même à haute voix viendra la demander.
Nous sommes seuls encor : hâtez-vous de répandre
Des pleurs que vous arrache un intérêt° si tendre.
Pleurez ce sang°, pleurez; ou plutôt, sans pâlir,
380 Considérez l'honneur° qui doit en rejaillir.
Voyez tout l'Hellespont° blanchissant sous nos rames,
Et la perfide° Troie° abandonnée aux flammes,
Ses peuples dans vos fers, Priam° à vos genoux,
Hélène° par vos mains rendue à son époux.
385 Voyez de vos vaisseaux les poupes couronnées
Dans cette même Aulide° avec vous retournées,

---

1. *ressorts* : moyens secrets d'action.

Et ce triomphe heureux qui s'en va devenir
L'éternel entretien des siècles à venir.

AGAMEMNON
   Seigneur, de mes efforts je connais• l'impuissance.
390 Je cède, et laisse aux dieux opprimer• l'innocence.
La victime bientôt marchera sur vos pas,
Allez. Mais cependant• faites taire Calchas• ;
Et m'aidant à cacher ce funeste• mystère[1],
Laissez-moi de l'autel écarter une mère.

Martine Chevallier (Clytemnestre), Michel Favory (Agamemnon) et
Valérie Dréville (Iphigénie), dans une mise en scène de Yannis Kokkos,
Comédie-Française, 1991.

1. *mystère* : secret.

Compréhension

1. *Quel détail rend vraisemblable le fait qu'Arcas n'ait pu accomplir sa mission ? Peut-on y voir un symbole ? Quelle en est l'importance sur le plan dramatique ?*

2. *Que savions-nous d'Ériphile jusqu'à présent ? Quelle information nouvelle concernant ce personnage nous est ici donnée ?*

3. *À quelle décision Agamemnon s'arrête-t-il ? Qui rend-il responsable des événements ? Définissez son état d'esprit à la fin de l'acte I.*

4. *De nos jours, que ferait n'importe quel père placé dans la situation d'Agamemnon ? Pourquoi cette solution n'est-elle ici même pas envisagée ? Qu'est-ce que cela nous révèle : des mœurs de l'Antiquité ? des mœurs de la France de Louis XIV ?*

5. *En quoi l'attitude d'Ulysse s'est-elle sensiblement modifiée de la scène 3 à la scène 5 ? Comment expliquez-vous ce changement ?*

Écriture

6. *Étudiez la formulation des répliques d'Agamemnon dans la scène 4. Quelles réactions traduit-elle ?*

7. *Quelle est la composition du discours d'Ulysse (v. 369 à 388) ?*

8. *Par quels moyens Racine donne-t-il vie au récit de l'accueil réservé à Iphigénie par les soldats (v. 349 à 358) ?*

9. *De quels vers de la première scène pourriez-vous rapprocher les vers 365 à 368 ? Quelle conception de l'existence laissent-ils percevoir ?*

10. *L'ironie tragique est un procédé courant dans la tragédie. Relevez-en un exemple dans la tirade d'Eurybate.*

Mise en scène

11. *Quels gestes, quels déplacements, quels jeux de physionomie imaginez-vous pour l'acteur incarnant le rôle d'Agamemnon dans ces deux scènes ?*

12. *Comment joueriez-vous l'entrée en scène d'Eurybate ?*

Bilan

L'action

• Ce que nous savons

L'intervention du surnaturel dans le cours des actions humaines a déclenché le processus tragique. Pour permettre, en effet, à la flotte grecque, réunie depuis trois mois dans le port d'Aulis*, de partir à la conquête de Troie*, les dieux exigent qu'Agamemnon, chef de l'expédition, sacrifie sa fille Iphigénie. Dès lors s'engage une lutte inégale entre l'implacable volonté des dieux (concrétisée par l'action conjuguée de Calchas* et d'Ulysse) et la révolte solitaire d'Agamemnon. Tous les efforts que celui-ci déploie pour sauver sa fille (empêcher qu'elle n'arrive au camp, persuader Achille et Ulysse de renoncer à la guerre) échouent, et il se voit obligé de capituler.

Mais l'action est rendue plus complexe par le jeu des passions humaines. Car Agamemnon est également en proie à une lutte tout intérieure où la tendresse paternelle l'emporte difficilement sur l'ambition politique. Les solutions intermédiaires, les ruses médiocres que lui dictent ces douloureuses incertitudes ont, en fait, aggravé la situation.

• À quoi nous attendre ?

1. Les dieux continueront-ils à exiger le sacrifice d'une jeune fille innocente ? Leur emprise sur le destin des hommes peut-elle encore laisser une marge aux initiatives humaines ?

2. Tous les mensonges accumulés par Agamemnon ne risquent-ils pas d'engendrer de graves malentendus ?

3. Qu'adviendra-t-il enfin du billet qu'Arcas était censé remettre à Clytemnestre ?

Les personnages

• Ce que nous savons

Les principaux représentants de l'armée grecque sont dévorés par une même ambition : la soif de la gloire. Elle pousse Ulysse à intriguer sournoisement, Achille à sacrifier son amour, sa vie même, et Agamemnon à trahir les devoirs les plus sacrés de la famille.

Un personnage, resté dans l'ombre, exerce une influence déterminante sur l'armée et sur Agamemnon : le devin Calchas, figuration de la religion toute-puissante.

• **À quoi nous attendre ?**

1. *Agamemnon pourra-t-il cacher la vérité à Iphigénie et à Clytemnestre ? Un nouveau revirement de sa part n'est-il pas à craindre ?*

2. *Comment Achille, qui a renoncé à ses projets de mariage, réagira-t-il à la vue d'Iphigénie ?*

3. *Qui est cette Ériphile, personnage énigmatique resté à la périphérie du drame ?*

Le Sacrifice d'Iphigénie, *peinture de Charles de Lafosse (Versailles).*

ACTE II

SCÈNE 1. Ériphile, Doris

ÉRIPHILE

395 Ne les contraignons[1] point, Doris, retirons-nous;
Laissons-les dans les bras d'un père et d'un époux;
Et tandis qu'à l'envi leur amour se déploie,
Mettons en liberté[2] ma tristesse et leur joie.

DORIS

Quoi, madame? toujours irritant[3] vos douleurs,
400 Croirez-vous ne plus voir que des sujets de pleurs?
Je sais que tout déplaît aux yeux d'une captive,
Qu'il n'est point dans les fers[4] de plaisir qui la suive.
Mais dans le temps fatal• que* repassant les flots,
Nous suivions malgré nous le vainqueur de Lesbos•;
405 Lorsque dans son vaisseau, prisonnière timide•,
Vous voyiez devant vous ce vainqueur homicide,
Le dirai-je? vos yeux, de larmes moins trempés,
À pleurer vos malheurs étaient moins occupés.
Maintenant tout vous rit: l'aimable Iphigénie
410 D'une amitié• sincère avec vous est unie;
Elle vous plaint, vous voit avec des yeux de sœur;
Et vous seriez dans Troie• avec moins de douceur[5].
Vous vouliez voir l'Aulide• où son père l'appelle,
Et l'Aulide vous voit arriver avec elle.
415 Cependant, par un sort• que je ne conçois[6] pas,
Votre douleur redouble et croît à chaque pas.

ÉRIPHILE

Hé quoi? te semble-t-il que la triste• Ériphile

---

1. *contraignons* : gênons.
2. *mettons en liberté* : exprimons librement.
3. *irritant* : excitant.
4. *dans les fers* : pour une prisonnière.
5. *douceur* : bonheur.
6. *conçois* : comprends.

41

Doive être de leur joie un témoin si tranquille?
Crois-tu que mes chagrins° doivent s'évanouir
420 À l'aspect d'un bonheur dont je ne puis jouir?
Je vois Iphigénie entre les bras d'un père;
Elle fait tout l'orgueil d'une superbe° mère;
Et moi, toujours en butte à de nouveaux dangers,
Remise dès l'enfance en des bras étrangers,
425 Je reçus et je vois le jour que je respire,
Sans que mère ni père ait daigné me sourire.
J'ignore qui je suis; et pour comble d'horreur°,
Un oracle effrayant m'attache à mon erreur°,
Et quand je veux chercher le sang° qui m'a fait naître,
430 Me dit que sans périr je ne me puis connaître*.

DORIS

Non, non, jusques au bout vous devez le chercher.
Un oracle toujours se plaît à se cacher.
Toujours avec un sens il en présente un autre.
En perdant un faux nom vous reprendrez le vôtre.
435 C'est là tout le danger que vous pouvez courir,
Et c'est peut-être ainsi que vous devez périr.
Songez que votre nom fut changé dès l'enfance.

ÉRIPHILE

Je n'ai de tout mon sort° que cette connaissance;
Et ton père, du reste infortuné témoin,
440 Ne me permit jamais de pénétrer plus loin.
Hélas! dans cette Troie° où j'étais attendue,
Ma gloire°, disait-il, m'allait être rendue;
J'allais, en reprenant et mon nom et mon rang,
Des plus grands rois en moi reconnaître le sang.
445 Déjà je découvrais[1] cette fameuse ville.
Le ciel mène à Lesbos° l'impitoyable Achille:
Tout cède, tout ressent ses funestes° efforts[2];
Ton père, enseveli dans la foule des morts,
Me laisse dans les fers à moi-même inconnue;

---

1. découvrais : apercevais de loin.
2. ses funestes efforts : les effets de sa rage meurtrière.

450 Et de tant de grandeurs dont j'étais prévenue[1] ;
  Vile esclave des Grecs, je n'ai pu conserver
  Que la fierté d'un sang* que je ne puis prouver.

DORIS

  Ah ! que perdant, madame, un témoin si fidèle,
  La main qui vous l'ôta vous doit sembler cruelle* !
455 Mais Calchas* est ici, Calchas si renommé,
  Qui des secrets des dieux fut toujours informé.
  Le ciel souvent lui parle : instruit par un tel maître,
  Il sait tout ce qui fut et tout ce qui doit être.
  Pourrait-il de vos jours ignorer les auteurs ?
460 Ce camp même est pour vous tout plein de protecteurs.
  Bientôt Iphigénie, en épousant Achille,
  Vous va sous son appui présenter un asile.
  Elle vous l'a promis et juré devant moi,
  Ce gage est le premier qu'elle attend de sa foi*.

ÉRIPHILE

465 Que dirais-tu, Doris, si passant* tout le reste,
  Cet hymen* de mes maux était le plus funeste* ?

DORIS

  Quoi, madame ?

ÉRIPHILE

            Tu vois avec étonnement*
  Que ma douleur ne souffre* aucun soulagement.
  Écoute, et tu te vas étonner que je vive.
470 C'est peu d'être étrangère, inconnue et captive :
  Ce destructeur fatal* des tristes* Lesbiens,
  Cet Achille, l'auteur de tes maux et des miens,
  Dont la sanglante main m'enleva prisonnière,
  Qui m'arracha d'un coup ma naissance et ton père,
475 De qui jusques au nom tout doit m'être odieux,
  Est de tous les mortels le plus cher à mes yeux.

DORIS

  Ah ! que me dites-vous !

---

1. *dont j'étais prévenue* : que l'on m'avait annoncées.

43

ÉRIPHILE

                Je me flattais* sans cesse
Qu'un silence éternel cacherait ma faiblesse,
Mais mon cœur trop pressé* m'arrache ce discours,
480 Et te parle une fois, pour se taire toujours.
Ne me demande point sur quel espoir fondée
De ce fatal* amour je me vis possédée.
Je n'en accuse point quelques feintes douleurs
Dont je crus voir Achille honorer mes malheurs.
485 Le ciel s'est fait, sans doute*, une joie inhumaine
À rassembler sur moi tous les traits de sa haine.
Rappellerai-je encor le souvenir affreux
Du jour qui dans les fers nous jeta toutes deux ?
Dans les cruelles* mains par qui* je fus ravie
490 Je demeurai longtemps sans lumière[1] et sans vie.
Enfin mes tristes yeux cherchèrent la clarté ;
Et me voyant presser d'un bras ensanglanté,
Je frémissais, Doris, et d'un vainqueur sauvage
Craignais de rencontrer l'effroyable visage.
495 J'entrai dans son vaisseau, détestant* sa fureur*,
Et toujours détournant ma vue avec horreur*.
Je le vis : son aspect n'avait rien de farouche ;
Je sentis le reproche expirer dans ma bouche ;
Je sentis contre moi mon cœur se déclarer ;
500 J'oubliai ma colère, et ne sus que pleurer.
Je me laissai conduire à* cet aimable guide.
Je l'aimais à Lesbos*, et je l'aime en Aulide*.
Iphigénie en vain s'offre à me protéger,
Et me tend une main prompte* à me soulager :
505 Triste* effet des fureurs dont je suis tourmentée !
Je n'accepte la main qu'elle m'a présentée
Que pour m'armer contre elle, et sans me découvrir,
Traverser[2] son bonheur que je ne puis souffrir*.

DORIS

Et que pourrait contre elle une impuissante haine ?
510 Ne valait-il pas mieux, renfermée à Mycène*,

---

1. *sans lumière* : sans voir.
2. *traverser* : faire obstacle à.

Éviter les tourments• que vous venez chercher,
Et combattre des feux• contraints de se cacher?

ÉRIPHILE

Je le voulais, Doris. Mais quelque triste• image
Que sa gloire• à mes yeux montrât sur ce rivage,
515 Au sort qui me traînait[1] il fallut consentir :
Une secrète voix m'ordonna de partir,
Me dit qu'offrant ici ma présence importune,
Peut-être j'y pourrais porter mon infortune ;
Que peut-être approchant[2] ces amants• trop heureux,
520 Quelqu'un de mes malheurs se répandrait sur eux.
Voilà ce qui m'amène, et non l'impatience
D'apprendre à qui je dois une triste naissance.
Ou plutôt leur hymen• me servira de loi.
S'il s'achève[3] il suffit : tout est fini pour moi.
525 Je périrai, Doris, et par une mort prompte
Dans la nuit du tombeau j'enfermerai ma honte,
Sans chercher des parents si longtemps ignorés,
Et que ma folle amour a trop déshonorés.

DORIS

Que je vous plains, madame ! et que la tyrannie...

ÉRIPHILE

530 Tu vois Agamemnon avec Iphigénie.

---

1. *traînait* : entraînait.
2. *approchant* : si j'approchais.
3. *s'il s'achève* : s'il se réalise.

Compréhension

1. *Quelle première image nous est donnée d'Ériphile (v. 395 à 416)?*

2. *Qu'est-ce qui la pousse à avouer sa passion pour Achille, si longtemps refoulée?*

3. *De quelle façon Ériphile, personnage «réinventé» par Racine, devient-elle une héroïne tragique? Étudiez à cet égard son passé, la nature de son amour pour Achille et les composantes de sa psychologie.*

4. *Quel est le véritable motif de sa venue en Aulide*? Quelle perspective nouvelle introduit-elle pour la suite de l'action? Sachant que son nom signifie en grec «celle qui aime la querelle», dans quelle mesure vous semble-t-elle bien nommée?*

5. *Quel est le rôle de Doris tout au long de cette scène? Son action vous semble-t-elle toujours bénéfique?*

6. *Comment, avec les points de vue de Doris et d'Ériphile, se précise le portrait d'Iphigénie?*

Écriture

7. *Faites le relevé des expressions par lesquelles Ériphile désigne Achille : que remarquez-vous?*

8. *Comment se traduisent, dans le langage, la violence et le caractère irrésistible de la passion amoureuse? Quels termes suggèrent, par ailleurs, le désordre physiologique?*

9. *Vers 398 : par quel procédé stylistique s'expriment le ressentiment et la jalousie d'Ériphile à l'égard d'Iphigénie? Relevez-en d'autres exemples dans la scène.*

10. *Étudiez le jeu des allitérations* aux vers 492 à 496.*

Mise en scène

11. *Comment imaginez-vous Ériphile (son âge, sa physionomie, ses attitudes, son costume)?*

SCÈNE 2. Agamemnon, Iphigénie, Ériphile,
Doris

IPHIGÉNIE

Seigneur, où courez-vous? et quels empressements[1]
Vous dérobent sitôt à nos embrassements?
À qui* dois-je imputer cette fuite soudaine?
Mon respect a fait place aux transports• de la reine.
535 Un moment à mon tour ne vous puis-je arrêter?
Et ma joie à vos yeux n'ose-t-elle éclater?
Ne puis-je...

AGAMEMNON

　　　　　　Hé bien! ma fille, embrassez votre père,
Il vous aime toujours.

IPHIGÉNIE

　　　　　　Que cette amour* m'est chère!
Quel plaisir de vous voir et de vous contempler
540 Dans ce nouvel éclat dont je vous vois briller!
Quels honneurs•! Quel pouvoir! Déjà la Renommée[2]
Par d'étonnants• récits m'en avait informée;
Mais que[3], voyant de près ce spectacle charmant,
Je sens croître ma joie et mon étonnement•!
545 Dieux! avec quel amour la Grèce vous révère!
Quel bonheur de me voir la fille d'un tel père!

AGAMEMNON

Vous méritiez, ma fille, un père plus heureux.

IPHIGÉNIE

Quelle félicité peut manquer à vos vœux?
À de plus grands honneurs un roi peut-il prétendre?
550 J'ai cru n'avoir au ciel que des grâces à rendre.

AGAMEMNON

Grands dieux! à son malheur dois-je la préparer?

---

1. *empressements* : obligations pressantes.
2. *la Renommée* : c'est la déesse Fama des Latins.
3. *que* : combien.

IPHIGÉNIE

Vous vous cachez, seigneur, et semblez soupirer ;
Tous vos regards sur moi ne tombent qu'avec peine.
Avons-nous sans votre ordre abandonné Mycène•?

AGAMEMNON

555 Ma fille, je vous vois toujours des mêmes yeux.
Mais les temps sont changés, aussi bien que les lieux.
D'un soin• cruel• ma joie est ici combattue.

IPHIGÉNIE

Hé ! mon père, oubliez votre rang à ma vue.
Je prévois la rigueur d'un long éloignement.
560 N'osez-vous sans rougir être père un moment?
Vous n'avez devant vous qu'une jeune princesse
À qui j'avais pour moi vanté votre tendresse.
Cent fois lui promettant mes soins, votre bonté,
J'ai fait gloire• à ses yeux de ma félicité.
565 Que va-t-elle penser de votre indifférence?
Ai-je flatté• ses vœux d'une fausse espérance?
N'éclaircirez-vous point ce front chargé d'ennuis•?

AGAMEMNON

Ah ! ma fille !

IPHIGÉNIE

Seigneur, poursuivez.

AGAMEMNON

Je ne puis.

IPHIGÉNIE

Périsse le Troyen auteur de nos alarmes•!

AGAMEMNON

570 Sa perte à ses vainqueurs coûtera bien des larmes.

IPHIGÉNIE

Les dieux daignent* surtout prendre soin de vos jours !

AGAMEMNON

Les dieux depuis un temps me sont cruels et sourds.

IPHIGÉNIE
Calchas•, dit-on, prépare un pompeux• sacrifice.

AGAMEMNON
Puissé-je auparavant fléchir leur injustice !

IPHIGÉNIE
575 L'offrira-t-on bientôt ?

AGAMEMNON
                    Plus tôt que je ne veux.

IPHIGÉNIE
Me sera-t-il permis de me joindre à vos vœux ?
Verra-t-on à l'autel votre heureuse famille ?

AGAMEMNON
Hélas !

IPHIGÉNIE
          Vous vous taisez ?

AGAMEMNON
                    Vous y serez ma fille.
Adieu.

SCÈNE 3. IPHIGÉNIE, ÉRIPHILE, DORIS

IPHIGÉNIE
            De cet accueil que dois-je soupçonner ?
580 D'une secrète horreur• je me sens frissonner.
Je crains, malgré moi-même, un malheur que j'ignore.
Justes dieux, vous savez pour qui je vous implore.

ÉRIPHILE
Quoi ? parmi tous les soins• qui doivent l'accabler,
Quelque froideur suffit pour vous faire trembler ?
585 Hélas ! à quels soupirs suis-je donc condamnée,
Moi, qui de mes parents toujours abandonnée,
Étrangère partout, n'ai pas même en naissant

49

Peut-être reçu d'eux un regard caressant !
Du moins, si vos respects[1] sont rejetés d'un père,
590 Vous en pouvez gémir dans le sein d'une mère ;
Et de quelque disgrâce[2] enfin que vous pleuriez,
Quels pleurs par un amant• ne sont point essuyés ?

IPHIGÉNIE

Je ne m'en défends point : mes pleurs, belle Ériphile,
Ne tiendraient pas longtemps contre les soins• d'Achille ;
595 Sa gloire•, son amour, mon père, mon devoir,
Lui donnent sur mon âme un trop• juste pouvoir.
Mais de lui-même ici que faut-il que je pense ?
Cet amant, pour me voir brûlant d'impatience,
Que les Grecs de ces bords• ne pouvaient arracher,
600 Qu'un père de si loin m'ordonne de chercher,
S'empresse-t-il assez pour jouir d'une vue
Qu'avec tant de transports• je croyais attendue ?
Pour moi, depuis deux jours qu'approchant de ces lieux,
Leur aspect souhaité se découvre à nos yeux,
605 Je l'attendais partout ; et d'un regard timide•
Sans cesse parcourant les chemins de l'Aulide•,
Mon cœur pour le chercher volait loin devant moi,
Et je demande Achille à tout ce que je voi[3].
Je viens, j'arrive enfin sans qu'il m'ait prévenue[4].
610 Je n'ai percé qu'à peine• une foule inconnue ;
Lui seul ne paraît point. Le triste• Agamemnon
Semble craindre à mes yeux[5] de prononcer son nom.
Que fait-il ? Qui pourra m'expliquer ce mystère ?
Trouverai-je l'amant glacé comme le père ?
615 Et les soins de la guerre auraient-ils en un jour
Éteint dans tous les cœurs la tendresse et l'amour ?
Mais non : c'est l'offenser par d'injustes alarmes•.
C'est à moi que l'on doit le secours de ses armes.
Il n'était point à Sparte• entre tous ces amants
620 Dont le père d'Hélène• a reçu les serments :

---

1. *vos respects* : vos marques de respect.
2. *disgrâce* : infortune.
3. *voi* : vois (orthographe tolérée à la rime).
4. *sans qu'il m'ait prévenue* : sans qu'il soit venu à ma rencontre.
5. *à mes yeux* : devant moi.

Lui seul de tous les Grecs, maître de sa parole,
S'il part contre Ilion*, c'est pour moi qu'il y vole ;
Et satisfait d'un prix qui lui semble si doux,
Il veut même y porter le nom[1] de mon époux.

Malka Ribovska et Nelly Borgeaud, théâtre de l'Athénée, Paris, 1962.

1. *y porter le nom* : y aller en portant le nom.

Questions

Compréhension

1. *Quels sont les sentiments d'Iphigénie envers son père ? Comment se manifestent-ils ?*

2. *Pourquoi Agamemnon cherche-t-il à éviter la confrontation avec sa fille ? Comment entretient-il l'art de l'esquive ? Quel aspect de son caractère se trouve ainsi confirmé ?*

3. *Comment Iphigénie s'explique-t-elle le trouble de son père ?*

4. *Quels aspects du caractère d'Iphigénie son amour pour Achille révèle-t-il ?*

5. *Quel est l'intérêt de la présence d'Ériphile dans cette scène ?*

6. *Comment se manifeste une fois de plus l'obsession jalouse d'Ériphile ? Quels propos d'Iphigénie vous semblent susceptibles d'exacerber cette jalousie ?*

Écriture

7. *Analysez le mécanisme de l'ironie tragique à la fin de la scène 2.*

8. *De quels mouvements la tirade d'Iphigénie est-elle composée (v. 593 à 624) ?*

9. *Quel est l'effet créé par le recours à la stichomythie* aux vers 567 à 579 ?*

10. *Comment qualifieriez-vous la tonalité de la scène 2 ?*

Mise en scène

11. *Quelles expressions, dans la scène 2, fournissent des indications de mise en scène ?*

12. *Par quel(s) jeu(x) de mise en scène souligneriez-vous le contraste entre Iphigénie et Ériphile ?*

SCÈNE 4. Clytemnestre, Iphigénie, Ériphile, Doris

CLYTEMNESTRE

625 Ma fille, il faut partir sans que rien nous retienne,
Et sauver, en fuyant, votre gloire• et la mienne.
Je ne m'étonne• plus qu'interdit et distrait
Votre père ait paru nous revoir à regret.
Aux affronts d'un refus craignant de vous commettre[1],
630 Il m'avait par Arcas envoyé cette lettre.
Arcas s'est vu trompé par notre égarement[2],
Et vient de me la rendre en ce même moment[3].
Sauvons, encore un coup, notre gloire offensée.
Pour votre hymen• Achille a changé de pensée,
635 Et refusant l'honneur• qu'on lui veut accorder,
Jusques à son retour il veut le retarder.

ÉRIPHILE

Qu'entends-je ?

CLYTEMNESTRE

           Je vous vois rougir de cet outrage.
Il faut d'un noble orgueil armer votre courage•.
Moi-même, de l'ingrat• approuvant le dessein,
640 Je vous l'ai dans Argos• présenté de ma main ;
Et mon choix, que flattait le bruit[4] de sa noblesse,
Vous donnait avec joie au fils d'une déesse.
Mais puisque désormais son lâche repentir[5]
Dément le sang• des dieux, dont on le fait sortir,
645 Ma fille, c'est à nous de montrer qui nous sommes,
Et de ne voir en lui que le dernier des hommes.
Lui ferons-nous penser, par un plus long séjour,
Que vos vœux de son cœur attendent le retour ?
Rompons avec plaisir un hymen qu'il diffère.
650 J'ai fait de mon dessein avertir votre père ;

---

1. *commettre* : exposer.
2. *égarement* : le fait de s'être trompé de chemin.
3. *de me la rendre en ce même moment* : de me la remettre à l'instant même.
4. *le bruit* : la renommée.
5. *repentir* : changement de résolution.

Je ne l'attends ici que pour m'en séparer ;
Et pour ce prompt départ je vais tout préparer.

À Ériphile

Je ne vous presse* point, madame, de nous suivre ;
En de plus chères mains ma retraite[1] vous livre.
655 De vos desseins secrets on est trop* éclairci ;
Et ce n'est pas Calchas* que vous cherchez ici.

SCÈNE 5. IPHIGÉNIE, ÉRIPHILE, DORIS

IPHIGÉNIE

En quel funeste* état ces mots m'ont-ils laissée !
Pour mon hymen* Achille a changé de pensée ?
Il me faut sans honneur[2] retourner sur mes pas,
660 Et vous cherchez ici quelque autre que Calchas ?

ÉRIPHILE

Madame, à ce discours je ne puis rien comprendre.

IPHIGÉNIE

Vous m'entendez* assez, si vous voulez m'entendre.
Le sort* injurieux* me ravit un époux ;
Madame, à mon malheur m'abandonnerez-vous ?
665 Vous ne pouviez sans moi demeurer à Mycène* ;
Me verra-t-on sans vous partir avec la reine ?

ÉRIPHILE

Je voulais voir Calchas avant que de partir[3].

IPHIGÉNIE

Que tardez-vous, madame, à le faire avertir ?

ÉRIPHILE

D'Argos*, dans un moment, vous reprenez la route.

---

1. *ma retraite* : mon départ.
2. *sans honneur* : déshonorée.
3. *avant que de partir* : avant de partir.

IPHIGÉNIE
670 Un moment quelquefois éclaircit plus d'un doute.
Mais, madame, je vois que c'est trop vous presser;
Je vois ce que jamais je n'ai voulu penser :
Achille... Vous brûlez que je ne sois partie.

ÉRIPHILE
Moi? vous me soupçonnez de cette perfidie[1]?
675 Moi, j'aimerais, madame, un vainqueur furieux•,
Qui toujours tout sanglant se présente à mes yeux,
Qui la flamme• à la main, et de meurtres avide,
Mit en cendres Lesbos•...

IPHIGÉNIE
                    Oui, vous l'aimez, perfide•.
Et ces même fureurs• que vous me dépeignez,
680 Ces bras que dans le sang vous avez vus baignés,
Ces morts, cette Lesbos, ces cendres, cette flamme,
Sont les traits dont l'amour l'a gravé dans votre âme;
Et loin d'en détester• le cruel• souvenir,
Vous vous plaisez encore à m'en entretenir.
685 Déjà plus d'une fois dans vos plaintes forcées[2],
J'ai dû* voir et j'ai vu le fond de vos pensées.
Mais toujours sur mes yeux ma facile[3] bonté
A remis le bandeau que j'avais écarté.
Vous l'aimez. Que faisais-je? et quelle erreur fatale•
690 M'a fait entre mes bras recevoir ma rivale?
Crédule, je l'aimais. Mon cœur même aujourd'hui
De son parjure amant• lui promettait l'appui.
Voilà donc le triomphe où j'étais amenée.
Moi-même à votre char[4] je me suis enchaînée.
695 Je vous pardonne, hélas! des vœux intéressés,
Et la perte d'un cœur que vous me ravissez.
Mais que, sans m'avertir du piège qu'on me dresse,

---

1. *perfidie* : hypocrisie.
2. *forcées* : peu naturelles.
3. *facile* : indulgente.
4. *char* : le char du triomphe (allusion à la cérémonie réservée aux généraux victorieux dans la Rome antique).

Vous me laissiez chercher[1] jusqu'au fond de la Grèce
L'ingrat* qui ne m'attend que pour m'abandonner,
700 Perfide*, cet affront se peut-il pardonner ?

ÉRIPHILE

Vous me donnez des noms qui doivent me surprendre,
Madame : on ne m'a pas instruite à les entendre ;
Et les dieux, contre moi dès longtemps indignés,
À mon oreille encor les avaient épargnés.
705 Mais il faut des amants* excuser l'injustice.
Et de quoi vouliez-vous que je vous avertisse ?
Avez-vous pu penser qu'au sang* d'Agamemnon
Achille préférât une fille sans nom,
Qui de tout son destin* ce qu'elle a pu comprendre,
710 C'est qu'elle sort d'un sang qu'il brûle de répandre ?

IPHIGÉNIE

Vous triomphez, cruelle*, et bravez ma douleur.
Je n'avais pas encor senti tout mon malheur ;
Et vous ne comparez votre exil et ma gloire*
Que pour mieux relever[2] votre injuste victoire.
715 Toutefois vos transports* sont trop précipités.
Ce même Agamemnon à qui vous insultez,
Il commande à la Grèce, il est mon père, il m'aime,
Il ressent mes douleurs beaucoup plus que moi-même.
Mes larmes par avance avaient su le toucher ;
720 J'ai surpris ses soupirs qu'il me voulait cacher.
Hélas ! de son accueil condamnant la tristesse,
J'osais me plaindre à lui de son peu de tendresse !

---

1. *chercher* : aller chercher.
2. *relever* : mettre en valeur.

Questions

Compréhension

1. *Quelle est, du point de vue dramatique, l'importance de la scène 4 ?*

2. *Quelles facettes du personnage de Clytemnestre la scène 4 dévoile-t-elle ?*

3. *Comparez les différentes réactions d'Iphigénie dans les deux scènes.*

4. *Comment jugez-vous la façon dont Ériphile se défend contre les accusations d'Iphigénie ?*

5. *Pensez-vous que cette scène de jalousie puisse dégrader l'image, par ailleurs idéalisée, d'Iphigénie ?*

6. *Souvent, la tragédie enferme ses héros dans un réseau d'illusions trompeuses. Dans quelle mesure les personnages de ces deux scènes vous semblent-ils victimes de cet aveuglement tragique ?*

Écriture

7. *Par quels termes Clytemnestre désigne-t-elle Achille et sa conduite ? Quel sentiment trahissent-ils ?*

8. *Étudiez le jeu des pronoms personnels et des possessifs dans la tirade de Clytemnestre.*

9. *Retrouvez toutes les marques stylistiques de la violence dans la tirade d'Iphigénie (v. 678 à 700).*

10. *Comment définiriez-vous le ton des vers 653 à 656 ?*

11. *Commentez l'emploi de la métaphore* aux vers 693-694. Relevez-en une autre dans cette même tirade.*

Mise en scène

12. *Comment dirigeriez-vous une actrice interprétant le rôle de Clytemnestre ?*

SCÈNE 6. Achille, Iphigénie, Ériphile, Doris

Achille

Il est donc vrai, madame, et c'est vous que je vois.
Je soupçonnais d'erreur tout le camp à la fois.
725 Vous en Aulide•? Vous? Hé! qu'y venez-vous faire?
D'où vient qu'Agamemnon m'assurait le contraire?

Iphigénie

Seigneur, rassurez-vous. Vos vœux seront contents•.
Iphigénie encor n'y sera pas longtemps.

SCÈNE 7. Achille, Ériphile, Doris

Achille

Elle me fuit! Veillé-je? ou n'est-ce point un songe?
730 Dans quel trouble• nouveau• cette fuite me plonge!
   Madame, je ne sais si, sans vous irriter,
Achille devant vous pourra se présenter;
Mais si d'un ennemi vous souffrez• la prière,
Si lui-même souvent a plaint sa prisonnière,
735 Vous savez quel sujet conduit ici leurs pas;
Vous savez...

Ériphile

                Quoi? seigneur, ne le savez-vous pas,
Vous qui depuis un mois, brûlant[1] sur ce rivage,
Avez conclu vous-même et hâté leur voyage?

Achille

De ce même rivage absent depuis un mois,
740 Je le revis hier pour la première fois.

Ériphile

Quoi? lorsqu'Agamemnon écrivait à Mycène•,

---

1. *brûlant* : dévoré d'amour.

Votre amour, votre main n'a pas conduit la sienne ?
Quoi ? vous qui de sa fille adoriez les attraits...

ACHILLE

Vous m'en voyez encore épris plus que jamais,
745 Madame ; et si l'effet• eût suivi ma pensée,
Moi-même dans Argos• je l'aurais devancée.
Cependant on me fuit. Quel crime ai-je commis ?
Mais je ne vois partout que des yeux ennemis.
Que dis-je ? en ce moment[1] Calchas•, Nestor•, Ulysse,
750 De leur vaine• éloquence employant l'artifice•,
Combattaient mon amour et semblaient m'annoncer
Que si j'en crois ma gloire•, il y faut renoncer.
Quelle entreprise ici pourrait être formée ?
Suis-je, sans le savoir, la fable[2] de l'armée ?
755 Entrons. C'est un secret qu'il leur faut arracher.

SCÈNE 8. ÉRIPHILE, DORIS

ÉRIPHILE

Dieux, qui voyez ma honte, où me dois-je cacher ?
Orgueilleuse rivale, on t'aime, et tu murmures ?
Souffrirai•-je à la fois ta gloire et tes injures ?
Ah ! plutôt... Mais, Doris, ou j'aime à me flatter•,
760 Ou sur eux quelque orage est tout prêt[3] d'éclater.
J'ai des yeux. Leur bonheur n'est pas encor tranquille.
On trompe Iphigénie ; on se cache d'Achille ;
Agamemnon gémit. Ne désespérons point ;
Et si le sort• contre elle à ma haine se joint,
765 Je saurai profiter de cette intelligence[4],
Pour ne pas pleurer seule et mourir sans vengeance.

---

1. *en ce moment* : il y a un instant.
2. *la fable* : la risée.
3. *prêt* : près.
4. *intelligence* : accord secret.

Questions

Compréhension

1. *Dans quelle mesure les propos d'Achille sont-ils ambigus, aussi bien à l'égard d'Iphigénie (v. 723 à 726) qu'à l'égard d'Ériphile (v. 731 à 735)?*

2. *Quels sentiments animent Ériphile dans la scène 7?*

3. *Étudiez les diverses réactions d'Achille dans la scène 7. Que laisse supposer sa décision finale pour la suite de l'action?*

Écriture

4. *Commentez le ton de la réplique d'Iphigénie (v. 727-728).*

5. *Comment justifiez-vous l'emploi du monologue dans la scène 8? Quels aspects d'Ériphile met-il en lumière?*

6. *Comment interprétez-vous, dans ce monologue, le recours au tutoiement (v. 757-758) et aux points de suspension (v. 759)?*

7. *Que révèle l'emploi de l'imparfait au vers 743?*

Mise en scène

8. *Entraînez-vous à réciter le monologue d'Ériphile. Quelles tonalités faut-il lui donner?*

Bilan

L'action

• Ce que nous savons

L'action continue à se dérouler sous le regard impassible des dieux. Les grands problèmes d'ordre politique sont momentanément relégués à l'arrière-plan. Une intrigue amoureuse s'est nouée, liée conjointement à la jalousie d'Ériphile (secrètement amoureuse d'Achille) et aux conséquences du message remis par Arcas à Clytemnestre :
• Iphigénie s'imagine qu'Achille ne l'aime plus ;
• Ériphile est passée brutalement de l'espoir d'être aimée à une cruelle désillusion ;
• Achille se retrouve dans une situation inextricable.
Ces méprises, qui découlent en fait du mutisme d'Agamemnon, finissent par enfermer l'action dans une sorte d'imbroglio.

• À quoi nous attendre ?

1. Clytemnestre réussira-t-elle à quitter le camp avec Iphigénie ? De cette façon, elle assurerait – à son insu – le salut de sa fille.

2. Dans le cas contraire, la vérité sera-t-elle enfin dévoilée ? Achille, alors seule force virile capable de s'opposer aux représentants du pouvoir (Agamemnon, Ulysse et Calchas*), pourra-t-il sauver Iphigénie ?

3. Mais, d'un autre côté, ne faut-il pas s'attendre désormais, de la part d'Ériphile, à de secrètes intrigues visant à détruire le couple Achille/Iphigénie ?

Les personnages

• Ce que nous savons

Dans cet acte essentiellement féminin, trois personnages sont apparus au premier plan :
• Clytemnestre, en mère possessive et outragée ;
• Iphigénie, en fille aimante et amante pathétique ;
• Ériphile, en orpheline, captive et amante éconduite.
Cette dernière, constamment présente sur scène mais systématiquement refoulée au rang de subalterne, jette une ombre funeste sur son entourage. Ses incertitudes quant à sa naissance, son amour coupable pour Achille (son persécuteur) et sa méchanceté envers Iphigénie (sa bienfaitrice) accusent la complexité de son

caractère. Comme elle a pris, d'autre part, la décision de mourir si Achille épouse sa rivale, son sort est désormais étroitement lié à celui d'Iphigénie.

- **À quoi nous attendre ?**

1. *Achille et Iphigénie pourront-ils se réconcilier ?*

2. *Agamemnon, durement ébranlé par son entrevue avec sa fille, finira-t-il par renoncer au sacrifice ?*

3. *Ériphile obtiendra-t-elle de Calchas* l'oracle qu'elle est venue chercher ? Trouvera-t-elle le moyen de se venger ?*

4. *Comment enfin Iphigénie réagira-t-elle, si jamais elle apprend que son père s'apprête à la sacrifier ?*

Valérie Dreville (Iphigénie) et Jean-Yves Dubois (Achille).
Mise en scène, décor et costumes de Yannis Kokkos.

ACTE III

SCÈNE 1. AGAMEMNON, CLYTEMNESTRE

CLYTEMNESTRE

Oui, seigneur, nous partions ; et mon juste courroux
Laissait bientôt Achille et le camp loin de nous.
Ma fille dans Argos• courait pleurer sa honte.
770 Mais lui-même, étonné• d'une fuite si prompte,
Par combien de serments, dont je n'ai pu douter,
Vient-il de me convaincre et de nous arrêter !
Il presse cet hymen• qu'on prétend qu'il diffère,
Et vous cherche, brûlant d'amour et de colère :
775 Prêt d'imposer silence à ce bruit imposteur[1],
Achille en veut connaître et confondre l'auteur.
Bannissez ces soupçons qui troublaient notre joie.

AGAMEMNON

Madame, c'est assez. Je consens qu'on le croie.
Je reconnais l'erreur qui nous avait séduits•,
780 Et ressens votre joie autant que je le puis.
Vous voulez que Calchas• l'unisse à ma famille ;
Vous pouvez à l'autel envoyer votre fille ;
Je l'attends. Mais avant que de passer plus loin,
J'ai voulu vous parler un moment sans témoin.
785 Vous voyez en quels lieux vous l'avez amenée :
Tout y ressent[2] la guerre, et non point l'hyménée•.
Le tumulte d'un camp, soldats et matelots,
Un autel hérissé de dards, de javelots,
Tout ce spectacle enfin, pompe• digne d'Achille,
790 Pour attirer vos yeux n'est point assez tranquille,
Et les Grecs y verraient l'épouse de leur roi
Dans un état indigne et de vous et de moi.
   M'en croirez-vous ? Laissez, de vos femmes suivie,
À cet hymen, sans vous, marcher Iphigénie.

---

1. *imposteur* : mensonger.
2. *ressent* : respire.

CLYTEMNESTRE

795 Qui ? moi ? que remettant ma fille en d'autres bras,
Ce que j'ai commencé, je ne l'achève pas ?
Qu'après l'avoir d'Argos• amenée en Aulide•,
Je refuse à l'autel de lui servir de guide ?
Dois-je donc de Calchas• être moins près que vous ?
800 Et qui présentera ma fille à son époux ?
Quelle autre ordonnera cette pompe• sacrée ?

AGAMEMNON

Vous n'êtes point ici dans le palais d'Atrée[1].
Vous êtes dans un camp...

CLYTEMNESTRE

                Où tout vous est soumis,
Où le sort• de l'Asie• en vos mains est remis,
805 Où je vois sous vos lois marcher la Grèce entière,
Où le fils de Thétis• va m'appeler sa mère.
Dans quel palais superbe• et plein de ma grandeur
Puis-je jamais paraître avec plus de splendeur ?

AGAMEMNON

Madame, au nom des dieux auteurs de notre race,
810 Daignez à mon amour accorder cette grâce.
J'ai mes raisons.

CLYTEMNESTRE

           Seigneur, au nom des mêmes dieux,
D'un spectacle si doux ne privez point mes yeux.
Daignez ne point ici rougir de ma présence.

AGAMEMNON

J'avais plus espéré de votre complaisance.
815 Mais puisque la raison ne vous peut émouvoir,
Puisqu'enfin ma prière a si peu de pouvoir,
Vous avez entendu ce que je vous demande,
Madame : je le veux, et je vous le commande.
Obéissez.

---

1. *le palais d'Atrée* : le palais de Mycènes.

SCÈNE 2. Clytemnestre, *seule.*

D'où vient que d'un soin° si cruel°
820 L'injuste Agamemnon m'écarte de l'autel ?
Fier° de son nouveau rang m*'ose-t-il méconnaître[1] ?
Me croit-il à sa suite indigne de paraître ?
Ou de l'empire° encor timide° possesseur,
N'oserait-il d'Hélène° ici montrer la sœur ?
825 Et pourquoi me cacher ? et par quelle injustice
Faut-il que sur mon front sa honte[2] rejaillisse ?
Mais n'importe : il le veut, et mon cœur s'y résout.
Ma fille, ton bonheur me console de tout.
Le ciel te donne Achille ; et ma joie est extrême
830 De t'entendre nommer... Mais le voici lui-même.

Silvia Monfort (Clytemnestre) dans sa propre mise en scène.
Carré Silvia Monfort, Paris, 1987.

1. *méconnaître* : oublier qui je suis.
2. *sa honte* : la honte d'Hélène.

Compréhension

1. *Quels événements sont survenus pendant l'entracte?*

2. *Que pensez-vous de la façon dont Agamemnon se dérobe aux explications concernant Achille (v. 778-779)?*

3. *Quel but Agamemnon poursuit-il dans cette scène? De quels moyens de pression use-t-il pour parvenir à ses fins?*

4. *Dans quel sens Clytemnestre exerce-t-elle, à son tour et à son insu, une pression sur Agamemnon?*

5. *Comment Clytemnestre interprète-t-elle la volonté d'Agamemnon?*

6. *Pourquoi, malgré son caractère altier, Clytemnestre finit-elle par céder à Agamemnon?*

Écriture

7. *Vers 795 à 813 : comment s'expriment l'indignation, la véhémence, l'autoritarisme dans les répliques de Clytemnestre?*

8. *Vers 778 à 794 : relevez les vers qui, lourds de sous-entendus, prennent une coloration tragique.*

9. *Quels termes, quelles expressions trahissent la vanité et l'orgueil de Clytemnestre?*

Mise en scène

10. *Quel jeu de scène imagineriez-vous pour montrer que la conversation est engagée au moment où le rideau se lève?*

SCÈNE 3. ACHILLE, CLYTEMNESTRE

ACHILLE

Tout succède•, madame, à mon empressement.
Le roi n'a point voulu d'autre éclaircissement ;
Il en croit mes transports• ; et sans presque m'entendre•,
Il vient, en m'embrassant, de m'accepter pour gendre.
835 Il ne m'a dit qu'un mot. Mais vous a-t-il conté
Quel bonheur dans le camp vous avez apporté ?
Les dieux vont s'apaiser. Du moins Calchas• publie
Qu'avec eux, dans une heure, il nous réconcilie ;
Que Neptune• et les vents, prêts à nous exaucer,
840 N'attendent que le sang• que sa main va verser.
Déjà dans les vaisseaux la voile se déploie,
Déjà sur sa parole ils se tournent vers Troie•.
Pour moi, quoique le ciel, au gré de mon amour,
Dût encore des vents retarder le retour,
845 Que¹ je quitte à regret la rive fortunée
Où je vais allumer les flambeaux d'hyménée• ;
Puis-je ne point chérir l'heureuse occasion
D'aller du sang troyen sceller notre union,
Et de laisser bientôt, sous Troie ensevelie,
850 Le déshonneur d'un nom² à qui* le mien s'allie ?

SCÈNE 4. ACHILLE, CLYTEMNESTRE, IPHIGÉNIE, ÉRIPHILE, DORIS, ÆGINE

ACHILLE

Princesse, mon bonheur ne dépend que de vous.
Votre père à l'autel vous destine un époux :
Venez y recevoir un cœur qui vous adore.

IPHIGÉNIE

Seigneur, il n'est pas temps que nous partions encore.
855 La reine permettra que j'ose demander

---

1. Que : Quoique.
2. Le déshonneur d'un nom : la famille des Atrides, déshonorée par l'enlèvement
d'Hélène, épouse de Ménélas.

Un gage à votre amour, qu'il me doit accorder.
Je viens vous présenter une jeune princesse.
Le ciel a sur son front imprimé sa noblesse.
De larmes tous les jours ses yeux sont arrosés ;
860 Vous savez ses malheurs, vous les avez causés.
Moi-même (où m'emportait une aveugle colère ?)
J'ai tantôt, sans respect, affligé sa misère[1].
Que ne puis-je aussi bien par d'utiles secours
Réparer promptement mes injustes discours !
865 Je lui prête ma voix, je ne puis davantage.
Vous seul pouvez, seigneur, détruire votre ouvrage.
Elle est votre captive ; et ses fers que je plains[2],
Quand vous l'ordonnerez, tomberont de ses mains.
Commencez donc par là cette heureuse journée.
870 Qu'elle puisse à nous voir n'être plus condamnée.
Montrez que je vais suivre au pied de nos autels
Un roi qui non content d'effrayer les mortels,
À des embrasements[3] ne borne point sa gloire•,
Laisse aux pleurs d'une épouse attendrir sa victoire,
875 Et par les malheureux quelquefois désarmé,
Sait imiter en tout les dieux qui l'ont formé.

ÉRIPHILE

Oui, seigneur, des douleurs soulagez la plus vive.
La guerre dans Lesbos• me fit votre captive.
Mais c'est pousser trop loin ses droits injurieux•,
880 Qu'y joindre le tourment• que je souffre• en ces lieux.

ACHILLE

Vous, madame ?

ÉRIPHILE

Oui, seigneur ; et sans compter le reste,
Pouvez-vous m'imposer une loi plus funeste•
Que de rendre mes yeux les tristes• spectateurs
De la félicité de mes persécuteurs ?

---

1. *sa misère* : son désespoir.
2. *ses fers que je plains* : sa condition de captive, que je déplore.
3. *embrasements* : incendies allumés pendant les combats.

885 J'entends de toutes parts menacer ma patrie[1] ;
Je vois marcher contre elle une armée en furie ;
Je vois déjà l'hymen*, pour mieux me déchirer,
Mettre en vos mains le feu qui la doit dévorer.
Souffrez* que loin du camp et loin de votre vue,
890 Toujours infortunée et toujours inconnue,
J'aille cacher un sort* si digne de pitié,
Et dont mes pleurs encor vous taisent la moitié.

ACHILLE
C'est trop, belle princesse. Il ne faut que nous suivre.
Venez, qu'aux yeux des Grecs Achille vous délivre,
895 Et que le doux moment de ma félicité
Soit le moment heureux de votre liberté.

*Laurence Frossard (Iphigénie), Silvia Monfort (Clytemnestre) et Christian Benedetti (Achille).
Décors de Djinn Bain et costumes de Jean-Philippe Abril, 1987.*

1. *ma patrie* : Troie.

Questions

Compréhension

1. *Quelle est l'atmosphère de ces deux scènes ?*

2. *Comment Achille réussit-il à concilier son exaltation amoureuse et son ardeur guerrière (v. 843 à 850) ? Le trouvez-vous convaincant ?*

3. *Comment expliquez-vous qu'Iphigénie puisse intervenir en faveur d'Ériphile, après leur cruel affrontement ?*

4. *Sur quels arguments joue-t-elle pour fléchir Achille ?*

5. *Quelle ambiguïté peut-on déceler dans la prière d'Ériphile (v. 877 à 892) ?*

6. *À quels signes voit-on que l'action se précipite ?*

Écriture

7. *Sur quel ton Achille s'adresse-t-il à Iphigénie (v. 851 à 853), puis à Ériphile (v. 893 à 896) ?*

8. *Étudiez le lexique de la souffrance dans les répliques d'Ériphile. Quels procédés d'intensification remarquez-vous ?*

9. *L'antéposition de l'adjectif est un procédé courant dans la poésie racinienne (« l'heureuse occasion »). Relevez-en quelques exemples dans la scène 4.*

Mise en scène

10. *Comment disposeriez-vous sur la scène les six personnages qui figurent dans la scène 4 ?*

SCÈNE 5. Clytemnestre, Achille, Iphigénie, Ériphile, Arcas, Ægine, Doris

ARCAS

Madame, tout est prêt pour la cérémonie :
Le roi près de l'autel attend Iphigénie ;
Je viens la demander. Ou plutôt contre lui,
900 Seigneur, je viens pour elle implorer votre appui.

ACHILLE

Arcas, que dites-vous ?

CLYTEMNESTRE

Dieux ! que vient-il m'apprendre ?

ARCAS, à Achille

Je ne vois plus que vous qui la* puisse défendre.

ACHILLE

Contre qui ?

ARCAS

Je le nomme et l'accuse à regret.
Autant que je l'ai pu, j'ai gardé son secret.
905 Mais le fer, le bandeau, la flamme* est toute prête :
Dût tout cet appareil[1] retomber sur ma tête,
Il faut parler.

CLYTEMNESTRE

Je tremble. Expliquez-vous, Arcas.

ACHILLE

Qui que ce soit, parlez, et ne le craignez pas.

ARCAS

Vous êtes son amant*, et vous êtes sa mère :
910 Gardez-vous d'envoyer la princesse à son père.

CLYTEMNESTRE

Pourquoi le craindrons-nous ?

---

1. *Dût tout cet appareil...* : Même si tout ce qui a été préparé pour le sacrifice doit...

ACHILLE

                       Pourquoi m'en défier?

ARCAS

Il l'attend à l'autel pour la sacrifier.

ACHILLE

Lui!

CLYTEMNESTRE

      Sa fille!

IPHIGÉNIE

      Mon père!

ÉRIPHILE

              Ô ciel! quelle nouvelle!

ACHILLE

Quelle aveugle fureur° pourrait l'armer contre elle?
915 Ce discours sans horreur° se peut-il écouter?

ARCAS

Ah! seigneur, plût au ciel que je pusse en douter!
Par la voix de Calchas° l'oracle la demande;
De toute autre victime il refuse l'offrande;
Et les dieux, jusque-là[1] protecteurs de Pâris°,
920 Ne nous promettent Troie° et les vents qu'à ce prix.

CLYTEMNESTRE

Les dieux ordonneraient un meurtre abominable?

IPHIGÉNIE

Ciel! pour tant de rigueur, de quoi suis-je coupable?

CLYTEMNESTRE

Je ne m'étonne° plus de cet ordre cruel°
Qui m'avait interdit l'approche de l'autel.

---

1. *jusque là* : jusqu'à présent.

IPHIGÉNIE, *à Achille*
925 Et voilà donc l'hymen• où* j'étais destinée !

ARCAS
Le roi, pour vous tromper, feignait cet hyménée•.
Tout le camp même encore est trompé comme vous.

CLYTEMNESTRE
Seigneur, c'est donc à moi d'embrasser vos genoux[1].

ACHILLE, *la relevant*
Ah ! madame.

CLYTEMNESTRE
    Oubliez une gloire• importune ;
930 Ce triste• abaissement convient à ma fortune•.
Heureuse si mes pleurs vous* peuvent attendrir,
Une mère à vos pieds peut tomber sans rougir.
C'est votre épouse, hélas ! qui vous est enlevée ;
Dans cet heureux espoir je l'avais élevée.
935 C'est vous que nous cherchions sur ce funeste• bord•.
Et votre nom, seigneur, l'a conduite à la mort.
Ira-t-elle, des dieux implorant la justice,
Embrasser leurs autels parés pour son supplice ?
Elle n'a que vous seul. Vous êtes en ces lieux
940 Son père, son époux, son asile, ses dieux.
Je lis dans vos regards la douleur qui vous presse•.
Auprès de votre époux, ma fille, je vous laisse.
Seigneur, daignez m'attendre, et ne la* point quitter.
À mon perfide• époux je cours me présenter.
945 Il ne soutiendra point la fureur• qui m'anime.
Il faudra que Calchas• cherche une autre victime.
Ou si je ne vous puis dérober à leurs coups,
Ma fille, ils pourront bien m'immoler avant vous.

---

1. *embrasser vos genoux* : attitude traditionnelle du suppliant chez les Grecs.

Questions

Compréhension

1. En quoi cette scène contraste-t-elle avec les deux scènes précédentes ?

2. Qu'est-ce qui, à votre avis, pousse Arcas à dévoiler le secret d'Agamemnon ?

3. Vers 913 à 927 : étudiez les réactions des différents personnages.

4. Comment Clytemnestre s'y prend-elle pour faire pression sur Achille ?

5. À quoi voit-on que Clytemnestre reste avant tout une femme d'action ?

6. Quel profit Racine tire-t-il de la présence d'Ériphile dans cette scène ?

Écriture

7. Quels signes montrent que, pour Arcas, la révélation est une cruelle épreuve ?

8. Relevez toutes les occurrences du mot «dieux» dans cette scène. Quels commentaires tirez-vous de ce relevé ?

9. Vers 935-936 : sur quels mots portent les accents rythmiques ? Quelle intention de Clytemnestre est ainsi soulignée ?

Mise en scène

10. Vers 913 : par quels gestes symboliseriez-vous les réactions des différents personnages ?

SCÈNE 6. ACHILLE, IPHIGÉNIE

ACHILLE

Madame, je me tais, et demeure immobile,
950 Est-ce à moi que l'on parle, et connaît-on Achille ?
Une mère pour vous croit devoir me prier ?
Une reine à mes pieds se vient humilier ?
Et me déshonorant par d'injustes alarmes•,
Pour attendrir mon cœur on a recours aux larmes !
955 Qui doit prendre à vos jours plus d'intérêt que moi ?
Ah ! sans doute• on s'en peut reposer sur ma foi•.
L'outrage me regarde ; et quoi qu'on entreprenne,
Je réponds d'une vie où* j'attache la mienne.
Mais ma juste douleur va plus loin m'engager.
960 C'est peu de vous défendre, et je cours vous venger,
Et punir à la fois le cruel• stratagème
Qui s'ose de mon nom armer contre vous-même.

IPHIGÉNIE

Ah ! demeurez, seigneur, et daignez m'écouter.

ACHILLE

Quoi ? madame, un barbare osera m'insulter ?
965 Il voit que de sa sœur je cours venger l'outrage ;
Il sait que le premier lui donnant mon suffrage,
Je le fis nommer chef de vingt rois ses rivaux ;
Et pour fruit de mes soins•, pour fruit de mes travaux[1],
Pour tout le prix enfin d'une illustre victoire,
970 Qui le doit enrichir, venger, combler de gloire•,
Content• et glorieux du nom de votre époux,
Je ne lui demandais que l'honneur• d'être à vous.
Cependant aujourd'hui, sanguinaire, parjure,
C'est peu de violer l'amitié•, la nature,
975 C'est peu que de vouloir, sous un couteau mortel,
Me montrer votre cœur fumant sur un autel :
D'un appareil d'hymen• couvrant ce sacrifice[2],
Il veut que ce soit moi qui vous mène au supplice ?

---

1. *travaux* : toutes les peines que je me suis données.
2. *D'un appareil d'hymen couvrant ce sacrifice* : Masquant ce sacrifice sous les préparatifs d'un mariage.

Que ma crédule main conduise le couteau?
980 Qu'au lieu de votre époux je sois votre bourreau?
Et quel était[1] pour vous ce sanglant hyménée•,
Si je fusse arrivé plus tard d'une journée?
Quoi donc? à leur fureur• livrée en ce moment
Vous iriez à l'autel me chercher vainement;
985 Et d'un fer imprévu vous tomberiez frappée,
En accusant mon nom qui vous aurait trompée?
Il faut de ce péril, de cette trahison,
Aux yeux de tous les Grecs lui demander raison.
À l'honneur• d'un époux vous-même intéressée[2],
990 Madame, vous devez approuver ma pensée.
Il faut que le cruel• qui m*'a pu mépriser
Apprenne de quel nom il osait abuser.

IPHIGÉNIE

Hélas! si vous m'aimez, si pour grâce dernière
Vous daignez d'une amante• écouter la prière,
995 C'est maintenant, seigneur, qu'il faut me le prouver.
Car enfin ce cruel, que vous allez braver,
Cet ennemi barbare, injuste, sanguinaire,
Songez, quoi qu'il ait fait, songez qu'il est mon père.

ACHILLE

Lui, votre père? Après son horrible dessein,
1000 Je ne le connais• plus que pour votre assassin.

IPHIGÉNIE

C'est mon père, seigneur, je vous le dis encore,
Mais un père que j'aime, un père que j'adore,
Qui me chérit lui-même, et dont jusqu'à ce jour
Je n'ai jamais reçu que des marques d'amour.
1005 Mon cœur, dans ce respect élevé dès l'enfance,
Ne peut que s'affliger de tout ce qui l'offense.
Et loin d'oser ici, par un prompt changement,
Approuver la fureur de votre emportement,
Loin que par mes discours je l'attise moi-même,

---

1. *était* : aurait été.
2. *intéressée* : attachée.

1010 Croyez qu'il faut aimer autant que je vous aime,
Pour avoir pu souffrir° tous les noms odieux
Dont votre amour le* vient d'outrager à mes yeux.
Et pourquoi voulez-vous qu'inhumain et barbare,
Il ne gémisse pas du coup qu'on me prépare ?
1015 Quel père de son sang° se plaît à se priver ?
Pourquoi me perdrait-il, s'il pouvait me sauver ?
J'ai vu, n'en doutez point, ses larmes se répandre.
Faut-il le condamner avant que de l'entendre ?
Hélas ! de tant d'horreurs° son cœur déjà troublé
1020 Doit-il de votre haine être encore accablé ?

ACHILLE

Quoi ? madame, parmi tant de sujets de crainte,
Ce sont là les frayeurs dont vous êtes atteinte ?
Un cruel° (comment puis-je autrement l'appeler ?)
Par la main de Calchas° s'en va vous immoler ;
1025 Et lorsqu'à sa fureur° j'oppose ma tendresse,
Le soin° de son repos est le seul qui vous presse° ?
On me ferme la bouche ? On l'excuse ? On le plaint ?
C'est pour lui que l'on tremble, et c'est moi que l'on
[craint ?
Triste° effet de mes soins ! Est-ce donc là, madame,
1030 Tout le progrès qu'Achille avait fait dans votre âme ?

IPHIGÉNIE

Ah, cruel ! cet amour, dont vous voulez douter,
Ai-je attendu si tard pour le faire éclater ?
Vous voyez de quel œil et comme indifférente[1],
J'ai reçu de ma mort la nouvelle sanglante.
1035 Je n'en ai point pâli. Que* n'avez-vous pu voir
À quel excès tantôt allait mon désespoir,
Quand presque en arrivant* un récit peu fidèle
M'a de votre inconstance annoncé la nouvelle !
Quel trouble° ! Quel torrent de mots injurieux°
1040 Accusait à la fois les hommes et les dieux !
Ah ! que vous auriez vu, sans que je vous le die[2],

---

1. *comme indifférente* : avec quelle indifférence.
2. *die* : dise (forme vieillie de subjonctif).

De combien votre amour m'est plus cher que ma vie !
Qui sait même, qui sait si le ciel irrité
A pu souffrir• l'excès de ma félicité ?
1045 Hélas ! il me semblait qu'une flamme• si belle
M'élevait au-dessus du sort d'une mortelle.

ACHILLE

Ah ! si je vous suis cher, ma princesse, vivez.

SCÈNE 7. CLYTEMNESTRE, IPHIGÉNIE, ACHILLE, ÆGINE

CLYTEMNESTRE

Tout est perdu, seigneur, si vous ne nous sauvez.
Agamemnon m'évite, et craignant mon visage,
1050 Il me fait de l'autel refuser le passage[1].
Des gardes, que lui-même a pris soin de placer,
Nous ont de toutes parts défendu de passer.
Il me fuit. Ma douleur étonne• son audace.

ACHILLE

Hé bien ! c'est donc à moi de prendre votre place.
1055 Il me verra, madame ; et je vais lui parler.

IPHIGÉNIE

Ah ! madame... Ah ! seigneur, où voulez-vous aller ?

ACHILLE

Et que prétend de moi[2] votre injuste prière ?
Vous[3] faudra-t-il toujours combattre la première ?

CLYTEMNESTRE

Quel est votre dessein, ma fille ?

IPHIGÉNIE

                              Au nom des dieux,

---

1. *le passage* : l'accès.
2. *que prétend de moi* : qu'espère obtenir de moi.
3. *Vous* : complément d'objet de *combattre*.

1060 Madame, retenez un amant* furieux*.
De ce triste* entretien détournons les approches¹.
Seigneur, trop d'amertume aigrirait* vos reproches.
Je sais jusqu'où s'emporte un amant irrité ;
Et mon père est jaloux de* son autorité.
1065 On ne connaît que trop la fierté des Atrides*.
Laissez parler, seigneur, des bouches plus timides*.
Surpris, n'en doutez point, de mon retardement²,
Lui-même il me viendra chercher dans un moment :
Il entendra gémir une mère oppressée³ ;
1070 Et que ne pourra point m'inspirer la pensée
De prévenir* les pleurs que vous verseriez tous,
D'arrêter vos transports*, et de vivre pour vous ?

ACHILLE

Enfin vous le voulez. Il faut donc vous complaire.
Donnez-lui l'une et l'autre un conseil salutaire.
1075 Rappelez sa raison, persuadez-le bien,
Pour vous, pour mon repos, et surtout pour le sien.
Je perds trop de moments en des discours frivoles :
Il faut des actions, et non pas des paroles.

À Clytemnestre

Madame, à vous servir je vais tout disposer.
1080 Dans votre appartement allez vous reposer.
Votre fille vivra, je puis vous le prédire.
Croyez du moins, croyez que tant que je respire,
Les dieux auront en vain ordonné son trépas :
Cet oracle est plus sûr que celui de Calchas*.

---

1. *détournons les approches* : évitons l'imminence.
2. *retardement* : retard.
3. *oppressée* : accablée par la douleur.

Questions

Compréhension

1. *Pour la première fois, Achille et Iphigénie se retrouvent seuls. Quelle est la tonalité de leur entretien ?*

2. *Quel même sentiment agite Achille tout au long de la scène ? Vous semble-t-il fondé ?*

3. *Quels excès et quelles failles dans le caractère d'Achille ces deux scènes révèlent-elles pleinement ?*

4. *Que s'est-il passé entre la scène 6 et la scène 7 ? Quel profit Racine tire-t-il ainsi de l'utilisation des coulisses ?*

5. *Sur quels principes de vraisemblance psychologique Racine joue-t-il pour faire admettre le plaidoyer d'Iphigénie en faveur de son père ?*

6. *Quelle explication Iphigénie trouve-t-elle au sacrifice exigé par les dieux ?*

7. *Quelle solution réussit-elle à imposer ?*

8. *De l'acte II à l'acte III, quelle évolution percevez-vous dans le personnage d'Iphigénie ?*

Écriture

9. *Quels points communs remarquez-vous dans la façon dont Iphigénie exprime son affection pour son père (v. 1001 à 1020) et son amour pour Achille (v. 1031 à 1046) ?*

10. *Quels mots, quelles expressions Achille puis Iphigénie emploient-ils pour qualifier Agamemnon ? Confrontez ces deux portraits avec la réalité.*

11. *Vers 975 à 985 : avec quels termes Achille évoque-t-il le sacrifice ? Quel effet recherche-t-il ?*

12. *Citez les vers qui vous semblent révéler le mieux les sentiments d'Iphigénie envers son père et son amant.*

13. *Vers 1027-1028 : par quels procédés Achille donne-t-il plus d'intensité à ses sentiments ?*

Mise en scène

14. *Quelle attitude imaginez-vous pour Iphigénie pendant le discours d'Achille (v. 964 à 992)?*

15. *Quels déplacements, quels jeux de scène suggèrent les répliques des personnages dans la scène 7?*

Christian Benedetti (Achille) et Silvia Monfort (Clytemnestre),
dans une mise en scène de Silvia Monfort, Paris, 1987.

Bilan

L'action

• Ce que nous savons

La tension dramatique n'a cessé de croître au cours de cet acte. Progressivement aussi, l'espace tragique est devenu enfermement. De la même façon que l'autel sacrificiel se trouve désormais cerné de tous côtés par des gardes, l'étau s'est resserré autour d'Iphigénie, et son salut semble de plus en plus improbable. L'allégresse de la réconciliation a, en effet, très vite fait place à l'horreur quand Arcas, venu au nom d'Agamemnon réclamer Iphigénie pour la conduire à l'autel, s'est décidé à tout révéler :

• Clytemnestre a été la première à réagir. Après avoir imploré l'aide d'Achille, elle est sortie dans le camp pour tenter de s'expliquer avec Agamemnon. Mais celui-ci, demeuré introuvable, lui a fait interdire l'accès de l'autel ;

• Achille, furieux d'abord d'avoir été manipulé par Agamemnon, puis ému par les protestations d'amour d'Iphigénie, est prêt lui aussi à tout braver pour sauver sa fiancée ;

• cependant, Iphigénie, qui n'approuve ni la fureur de sa mère ni l'animosité de son amant à l'encontre de son père, s'est interposée. Elle entend fléchir elle-même Agamemnon par une prière qui fera appel à sa tendresse.

• À quoi nous attendre ?

1. Le seul véritable espoir de salut pour Iphigénie repose en fait sur un éventuel revirement d'Agamemnon. Celui-ci, qui ignore pour l'instant que son secret a été découvert, pourra-t-il résister à la pression conjuguée d'Iphigénie, de Clytemnestre et d'Achille quand il viendra chercher sa fille ?

2. À supposer cependant qu'il cède, il reste un dernier écueil : l'armée grecque. Car, si celle-ci ne sait pas encore qu'on s'apprête à immoler Iphigénie – objet de sa vénération –, ne risque-t-elle pas malgré tout, tant elle brûle de partir à la conquête de Troie*, d'exiger ce barbare sacrifice ?

Les personnages

• Ce que nous savons

Ériphile a obtenu sa liberté, mais elle continue à épier dans l'ombre tout ce qui se trame.

Agamemnon, lui, continue à se dérober. Il semble toutefois avoir affermi sa décision d'immoler sa fille.

La mère, chez Clytemnestre, a pris le pas sur la reine orgueilleuse. Une seule chose lui importe désormais : que sa fille vive.

Achille, malgré son dévouement et son amour sincère pour Iphigénie, reste dominé par l'orgueil.

Iphigénie, enfin, partagée entre sa passion pour Achille et une admiration sans borne pour son père, a accepté la nouvelle de sa mort avec courage.

• À quoi nous attendre ?

1. Iphigénie saura-t-elle émouvoir son père ? Mais n'est-elle pas déjà, au fond, résignée à mourir ?

2. Agamemnon ne pouvant plus continuer à éviter Clytemnestre et Achille, ne faut-il pas s'attendre, dans les scènes à venir, à de terribles affrontements ?

Sarcophage représentant la légende d'Oreste et d'Iphigénie (fragment).

ACTE IV

SCÈNE 1. ÉRIPHILE, DORIS

DORIS

1085 Ah! que me dites-vous? Quelle étrange manie•
Vous* peut faire envier le sort• d'Iphigénie?
Dans une heure elle expire. Et jamais, dites-vous,
Vos yeux de son bonheur ne furent plus jaloux.
Qui le croira, madame? Et quel cœur si farouche...

ÉRIPHILE

1090 Jamais rien de plus vrai n'est sorti de ma bouche.
Jamais de tant de soins• mon esprit agité
Ne porta plus d'envie• à sa félicité.
Favorables périls! Espérance inutile!
N'as-tu pas vu sa gloire•, et le trouble• d'Achille?
1095 J'en ai vu, j'en ai fui les signes trop certains.
Ce héros, si terrible au reste des humains,
Qui ne connaît de pleurs que ceux qu'il fait répandre,
Qui s'endurcit contre eux dès l'âge le plus tendre,
Et qui, si l'on nous fait un fidèle discours,
1100 Suça même le sang des lions et des ours[1],
Pour elle de la crainte a fait l'apprentissage :
Elle l'a vu pleurer et changer de visage.
Et tu la plains, Doris? Par combien de malheurs
Ne lui voudrais-je point disputer de tels pleurs?
1105 Quand je devrais comme elle expirer dans une heure...
Mais que dis-je, expirer? Ne crois pas qu'elle meure.
Dans un lâche sommeil crois-tu qu'enseveli
Achille aura pour elle impunément[2] pâli?
Achille à son malheur saura bien mettre obstacle.
1110 Tu verras que les dieux n'ont dicté cet oracle

---

1. *le sang des lions et des ours* : Achille, élevé par le centaure Chiron, fut nourri, dit la légende, de la chair des lions et de la mœlle des ours.
2. *impunément* : sans chercher à se venger.

85

Que pour croître[1] à la fois sa gloire• et mon tourment•,
Et la rendre plus belle aux yeux de son amant•.
Hé quoi? ne vois-tu pas tout ce qu'on fait pour elle?
On supprime des dieux la sentence mortelle;
1115 Et quoique le bûcher soit déjà préparé,
Le nom de la victime est encore ignoré:
Tout le camp n'en sait rien. Doris, à ce silence,
Ne reconnais-tu pas un père qui balance•?
Et que fera-t-il donc? Quel courage• endurci
1120 Soutiendrait les assauts qu'on lui prépare ici:
Une mère en fureur•, les larmes d'une fille,
Les cris, le désespoir de toute une famille,
Le sang• à ces objets facile à s'ébranler[2],
Achille menaçant, tout prêt à l'accabler?
1125 Non, te dis-je, les dieux l'ont en vain condamnée:
Je suis et je serai la seule infortunée.
Ah! si je m'en croyais...

DORIS

Quoi! que méditez-vous?

ÉRIPHILE

Je ne sais qui[3] m'arrête et retient mon courroux,
Que par un prompt avis[4] de tout ce qui se passe,
1130 Je ne coure des dieux divulguer la menace,
Et publier partout les complots criminels
Qu'on fait ici contre eux et contre leurs autels.

DORIS

Ah! quel dessein, madame!

ÉRIPHILE

Ah! Doris, quelle joie!
Que d'encens brûlerait dans les temples de Troie•,
1135 Si troublant[5] tous les Grecs, et vengeant ma prison,

---

1. *croître*: accroître.
2. *à ces objets facile à s'ébranler*: qui s'émeut facilement à de tels spectacles.
3. *Je ne sais qui*: Je ne sais ce qui.
4. *avis*: révélation.
5. *troublant*: semant le désordre parmi.

Je pouvais contre Achille armer Agamemnon ;
Si leur haine, de Troie• oubliant la querelle,
Tournait contre eux le fer qu'ils aiguisent contre elle,
Et si de tout le camp mes avis dangereux
1140 Faisaient à ma patrie un sacrifice heureux !

DORIS
J'entends du bruit. On vient : Clytemnestre s'avance.
Remettez-vous[1], madame, ou fuyez sa présence.

ÉRIPHILE
Rentrons. Et pour troubler un hymen• odieux,
Consultons des fureurs[2] qu'autorisent les dieux.

SCÈNE 2. CLYTEMNESTRE, ÆGINE

CLYTEMNESTRE
1145 Ægine, tu le vois, il faut que je la fuie.
Loin que ma fille pleure et tremble pour sa vie,
Elle excuse son père, et veut que ma douleur
Respecte encor la main qui lui perce le cœur.
Ô constance ! ô respect ! Pour prix de sa tendresse,
1150 Le barbare, à l'autel, se plaint de sa paresse[3].
Je l'attends. Il viendra m'en demander raison,
Et croit pouvoir encor cacher sa trahison.
Il vient. Sans éclater[4] contre son injustice,
Voyons s'il soutiendra son indigne artifice•.

SCÈNE 3. AGAMEMNON, CLYTEMNESTRE, ÆGINE

AGAMEMNON
1155 Que faites-vous, madame ? et d'où vient que ces lieux
N'offrent point avec vous votre fille à mes yeux ?

---

1. *Remettez-vous* : Calmez-vous.
2. *Consultons des fureurs* : Laissons-nous aller à des projets criminels.
3. *paresse* : manque d'empressement à obéir.
4. *éclater* : se mettre en colère.

Mes ordres par Arcas vous l'avaient demandée.
Qu'attend-elle? Est-ce vous qui l'avez retardée?
À mes justes désirs ne vous rendez-vous pas?
1160 Ne peut-elle à l'autel marcher que sur vos pas?
Parlez.

CLYTEMNESTRE

S'il faut partir, ma fille est toute prête.
Mais vous, n'avez-vous rien, seigneur, qui vous arrête?

AGAMEMNON
Moi, madame?

CLYTEMNESTRE

Vos soins° ont-ils tout préparé?

AGAMEMNON
Calchas° est prêt, madame, et l'autel est paré.
1165 J'ai fait ce que m'ordonne un devoir légitime.

CLYTEMNESTRE
Vous ne me parlez point, seigneur, de la victime.

AGAMEMNON
Que me voulez-vous dire? et de quel soin jaloux[1]...

1. *de quel soin jaloux* : de quel zèle excessif.

Questions

Compréhension

1. Qu'a de paradoxal, à première vue, la réaction d'Ériphile devant la menace qui pèse sur Iphigénie ?

2. Qu'est-ce qui, sur le plan psychologique, justifie cependant cette détresse, cette jalousie effrénée ?

3. Souvent, chez Racine, l'intensité du malheur aiguise la lucidité. Que devine Ériphile, plus ou moins consciemment, des événements à venir ?

4. Quelle solution envisage-t-elle ? De quelles « nobles » excuses se couvre-t-elle ?

5. Dans quel sens Doris intervient-elle ? Comparez notamment avec le rôle qu'elle joue dans la scène 1 de l'acte I.

6. Dans quel état d'esprit se trouve Clytemnestre ? Quelle tactique adopte-t-elle pour affronter Agamemnon ?

7. Comment Agamemnon s'y prend-il pour tenir tête à Clytemnestre ?

Écriture

8. Quels signes de réticence relève-t-on dans les propos d'Ériphile aux vers 1127 à 1140 ? Comparez avec les vers 1143-1144.

9. Qu'a d'inhabituel, chez Ériphile, le ton qu'elle utilise aux vers 1133 à 1140 ?

10. Retrouvez les vers qui associent étroitement le sort d'Ériphile à celui d'Iphigénie. Pourquoi, à votre avis, Racine a-t-il tant insisté, tout au long de la tragédie, sur ce parallélisme entre les deux jeunes filles ?

11. Étudiez la portée du vers 1166 (formulation, rythme, effet recherché sur Agamemnon).

Mise en scène

12. Quel éclairage choisiriez-vous, si vous aviez à représenter la scène 1 ?

13. Comment placeriez-vous Clytemnestre et Agamemnon dans la scène 3 ?

SCÈNE 4. Iphigénie, Agamemnon, Clytemnestre, Ægine

CLYTEMNESTRE

Venez, venez, ma fille, on n'attend plus que vous ;
Venez remercier un père qui vous aime,
1170 Et qui veut à l'autel vous conduire lui-même.

AGAMEMNON

Que vois-je ? Quel discours ? Ma fille, vous pleurez,
Et baissez devant moi vos yeux mal assurés.
Quel trouble•!... Mais tout pleure, et la fille et la mère.
Ah! malheureux Arcas, tu m'as trahi!

IPHIGÉNIE

                         Mon père,
1175 Cessez de vous troubler, vous n'êtes point trahi.
Quand vous commanderez, vous serez obéi.
Ma vie est votre bien. Vous voulez le reprendre :
Vos ordres sans détour pouvaient se faire entendre•.
D'un œil aussi content, d'un cœur aussi soumis
1180 Que j'acceptais l'époux que vous m'aviez promis,
Je saurai, s'il le faut, victime obéissante,
Tendre au fer de Calchas• une tête innocente,
Et respectant le coup par vous-même ordonné,
Vous rendre tout le sang que vous m'avez donné.
1185   Si pourtant ce respect, si cette obéissance
Paraît digne à vos yeux d'une autre récompense,
Si d'une mère en pleurs vous plaignez[1] les ennuis•,
J'ose vous dire ici qu'en l'état où je suis
Peut-être assez d'honneurs• environnaient ma vie
1190 Pour ne pas souhaiter qu'elle me fût ravie,
Ni qu'en me l'arrachant un sévère• destin•
Si près de ma naissance en eût marqué la fin.
Fille d'Agamemnon, c'est moi qui la première,
Seigneur, vous appelai de ce doux nom de père ;
1195 C'est moi qui si longtemps le plaisir de vos yeux,
Vous ai fait de ce nom remercier les dieux,

---

1. *vous plaignez* : vous déplorez.

Et pour qui tant de fois prodiguant vos caress
Vous n'avez point du sang• dédaigné les faibl
Hélas ! avec plaisir je me faisais conter
1200 Tous les noms des pays que vous allez dompter ;
Et déjà, d'Ilion• présageant la conquête,
D'un triomphe si beau je préparais la fête.
Je ne m'attendais pas que pour le commencer,
Mon sang fût le premier que vous dussiez verser.
1205 Non que la peur du coup dont je suis menacée
Me fasse rappeler votre bonté passée.
Ne craignez rien : mon cœur, de votre honneur• jaloux•,
Ne fera point rougir un père tel que vous ;
Et si je n'avais eu que ma vie à défendre,
1210 J'aurais su renfermer un souvenir si tendre.
Mais à mon triste• sort•, vous le savez, seigneur,
Une mère, un amant• attachaient leur bonheur.
Un roi digne de vous a cru voir la journée
Qui devait éclairer notre illustre hyménée•.
1215 Déjà sûr de mon cœur à sa flamme• promis,
Il s'estimait heureux : vous me l'aviez permis.
Il sait votre dessein ; jugez de ses alarmes•.
Ma mère est devant vous, et vous voyez ses larmes.
Pardonnez aux efforts que je viens de tenter
1220 Pour prévenir les pleurs que je leur* vais coûter.

AGAMEMNON
Ma fille, il¹ est trop• vrai. J'ignore pour quel crime
La colère des dieux demande une victime ;
Mais ils vous ont nommée. Un oracle cruel•
Veut qu'ici votre sang coule sur un autel.
1225 Pour défendre vos jours de leurs lois meurtrières
Mon amour n'avait pas attendu vos prières,
Je ne vous dirai point combien j'ai résisté :
Croyez-en cet amour par vous-même attesté.
Cette nuit même encore, on a pu vous le dire,
1230 J'avais révoqué l'ordre où* l'on me fit souscrire.
Sur l'intérêt des Grecs vous l'aviez emporté.
Je vous sacrifiais mon rang, ma sûreté.

---

1. *il* : cela.

91

Arcas allait du camp vous défendre l'entrée :
Les dieux n'ont pas voulu qu'il vous ait rencontrée.
1235 Ils ont trompé les soins° d'un père infortuné
Qui protégeait en vain ce qu'ils ont condamné.
Ne vous assurez point sur[1] ma faible puissance.
Quel frein pourrait d'un peuple arrêter la licence[2],
Quand les dieux, nous livrant à son zèle° indiscret[3],
1240 L'affranchissent d'un joug qu'il portait à regret ?
Ma fille, il faut céder. Votre heure est arrivée.
Songez bien dans quel rang vous êtes élevée.
Je vous donne un conseil qu'à peine° je reçoi[4].
Du coup qui vous attend vous mourrez moins que moi.
1245 Montrez, en expirant, de qui vous êtes née :
Faites rougir ces dieux qui vous ont condamnée.
Allez ; et que les Grecs, qui vont vous immoler,
Reconnaissent mon sang° en le voyant couler.

CLYTEMNESTRE
Vous ne démentez point une race funeste°.
1250 Oui, vous êtes le sang d'Atrée° et de Thyeste°.
Bourreau de votre fille, il ne vous reste enfin
Que d'en faire à sa mère un horrible festin[5].
Barbare ! C'est donc là cet heureux sacrifice
Que vos soins préparaient avec tant d'artifice°.
1255 Quoi ! l'horreur° de souscrire à cet ordre inhumain
N'a pas, en le traçant[6], arrêté votre main ?
Pourquoi feindre à nos yeux une fausse tristesse ?
Pensez-vous par des pleurs prouver votre tendresse ?
Où sont-ils, ces combats que vous avez rendus[7] ?
1260 Quels flots de sang pour elle avez-vous répandus ?
Quel débris[8] parle ici de votre résistance ?

---

1. *Ne vous assurez point sur* : N'ayez pas confiance en.
2. *la licence* : le déchaînement.
3. *son zèle indiscret* : ses excès incontrôlés.
4. *je reçoi* : je reçois (orthographe tolérée à la rime).
5. *un horrible festin* : allusion au festin au cours duquel Thyeste mangea la chair de ses propres enfants, tués par son frère Atrée.
6. *en le traçant* : tandis que vous le traciez.
7. *rendus* : livrés.
8. *débris* : ce qui reste après des destructions.

Quel champ couvert de morts me condamne au
[silence ?
Voilà par quels témoins il fallait me prouver,
Cruel°, que votre amour a voulu la sauver.
1265 Un oracle fatal° ordonne qu'elle expire.
Un oracle dit-il tout ce qu'il semble dire ?
Le ciel, le juste ciel, par le meurtre honoré,
Du sang de l'innocence est-il donc altéré ?
Si du crime d'Hélène° on punit sa famille,
1270 Faites chercher à Sparte° Hermione° sa fille.
Laissez à Ménélas° racheter d'un tel prix
Sa coupable moitié[1] dont il est trop épris.
Mais vous, quelles fureurs° vous rendent sa victime ?
Pourquoi vous imposer la peine de son crime ?
1275 Pourquoi moi-même enfin me déchirant le flanc,
Payer sa folle amour* du plus pur de mon sang ?
    Que dis-je ? Cet objet de tant de jalousie,
Cette Hélène, qui trouble et l'Europe° et l'Asie°,
Vous semble-t-elle un prix digne de vos exploits ?
1280 Combien nos fronts pour elle ont-ils rougi de fois !
Avant qu'un nœud° fatal l'unît à votre frère,
Thésée° avait osé l'enlever à son père.
Vous savez, et Calchas° mille fois vous l'a dit,
Qu'un hymen° clandestin[2] mit ce prince en son lit,
1285 Et qu'il en eut pour gage[3] une jeune princesse,
Que sa mère a cachée au reste de la Grèce.
Mais non, l'amour d'un frère et son honneur° blessé
Sont les moindres des soins° dont vous êtes pressé°.
Cette soif de régner, que rien ne peut éteindre,
1290 L'orgueil de voir vingt rois vous servir et vous craindre,
Tous les droits de l'empire° en vos mains confiés,
Cruel, c'est à ces dieux que vous sacrifiez ;
Et loin de repousser le coup qu'on vous prépare,
Vous voulez vous en faire un mérite barbare.
1295 Trop jaloux° d'un pouvoir qu'on peut vous envier[4],

---

1. *moitié* : épouse (sans nuance péjorative).
2. *clandestin* : secret.
3. *gage* : preuve de son amour.
4. *envier* : disputer.

De votre propre sang• vous courez le payer,
Et voulez par ce prix épouvanter l'audace
De quiconque vous* peut disputer votre place.
Est-ce donc être père ? Ah ! toute ma raison
1300 Cède à la cruauté de cette trahison.
Un prêtre, environné d'une foule cruelle•,
Portera sur ma fille une main criminelle,
Déchirera son sein et d'un œil curieux
Dans son cœur palpitant consultera les dieux[1] !
1305 Et moi, qui l'amenai triomphante, adorée,
Je m'en retournerai seule et désespérée !
Je verrai les chemins encor tout parfumés
Des fleurs dont sous ses pas on les avait semés !
Non, je ne l'aurai point amenée au supplice,
1310 Ou vous ferez aux Grecs un double sacrifice.
Ni crainte ni respect ne m'en peut détacher.
De mes bras tout sanglants il faudra l'arracher.
Aussi barbare époux qu'impitoyable père,
Venez, si vous l'osez, la ravir à sa mère.
1315 Et vous, rentrez, ma fille, et du moins à mes lois
Obéissez encor pour la dernière fois.

SCÈNE 5. Agamemnon, *seul*

À de moindres fureurs• je n'ai pas dû* m'attendre.
Voilà, voilà les cris que je craignais d'entendre :
Heureux si dans le trouble• où flottent mes esprits,
1320 Je n'avais toutefois à craindre que ses cris !
Hélas ! en m'imposant une loi si sévère•,
Grands dieux, me deviez-vous laisser un cœur de père ?

---

1. *consultera les dieux* : allusion aux présages que formulaient les prêtres en observant les entrailles des animaux sacrifiés.

Questions

Compréhension

1. *En quoi la scène 4 est-elle d'un intérêt capital? Quelles forces s'y opposent?*

2. *Quelle ambivalence percevez-vous dans la prière d'Iphigénie (v. 1174 à 1220)?*

3. *Sur quels sentiments Iphigénie mise-t-elle pour fléchir son père?*

4. *Relevez les différents arguments mis en avant par Agamemnon pour assurer sa défense.*

5. *Que pensez-vous du «conseil» que celui-ci donne à Iphigénie (v. 1241 à 1248)?*

6. *De quelle façon Clytemnestre réussit-elle à démolir, point par point, la défense d'Agamemnon? De quelles graves accusations charge-t-elle son mari (v. 1249 à 1316)?*

7. *Dans quel état psychique cette violente confrontation a-t-elle laissé Agamemnon?*

Écriture

8. *Comparez la prière d'Iphigénie chez Racine et chez Euripide (cf. Racine et ses sources, pages 137 à 145). À laquelle des deux êtes-vous le plus sensible?*

9. *Relevez les termes dans lesquels Iphigénie puis Clytemnestre évoquent le sacrifice. Quelle différence remarquez-vous?*

10. *Quels vers, dans la tirade d'Iphigénie, expriment l'intensité de son amour filial?*

11. *Repérez quelques-uns des procédés stylistiques mettant en relief la fureur de Clytemnestre.*

Mise en scène

12. *Quelles indications donneriez-vous à une actrice pour jouer l'entrée en scène d'Iphigénie?*

SCÈNE 6. Agamemnon, Achille

Achille
Un bruit assez étrange est venu jusqu'à moi,
Seigneur; je l'ai jugé trop peu digne de foi•.
1325 On dit, et sans horreur• je ne puis le redire,
Qu'aujourd'hui par votre ordre Iphigénie expire,
Que vous-même, étouffant tout sentiment humain,
Vous l'allez à Calchas• livrer de votre main.
On dit que sous mon nom à l'autel appelée,
1330 Je ne l'y conduisais que pour être immolée;
Et que d'un faux hymen• nous abusant tous deux,
Vous vouliez me charger d'un emploi[1] si honteux.
Qu'en dites-vous, seigneur? Que faut-il que j'en pense?
Ne ferez-vous pas taire un bruit qui vous offense?

Agamemnon
1335 Seigneur, je ne rends point compte de mes desseins.
Ma fille ignore encor mes ordres souverains;
Et quand il sera temps qu'elle en soit informée,
Vous apprendrez son sort•, j'en instruirai l'armée.

Achille
Ah! je sais trop le sort que vous lui réservez.

Agamemnon
1340 Pourquoi le demander, puisque vous le savez?

Achille
Pourquoi je le demande? Ô ciel! Le puis-je croire,
Qu'on ose des fureurs• avouer la plus noire•?
Vous pensez qu'approuvant vos desseins odieux,
Je vous laisse immoler votre fille à mes yeux,
1345 Que ma foi•, mon amour, mon honneur• y consente*?

Agamemnon
Mais vous, qui me parlez d'une voix menaçante,
Oubliez-vous ici qui vous interrogez?

---

1. *un emploi* : une mission.

ACHILLE
  Oubliez-vous qui j'aime, et qui vous outragez ?

AGAMEMNON
  Et qui vous a chargé du soin° de ma famille ?
1350 Ne pourrai-je sans vous disposer de ma fille ?
  Ne suis-je plus son père ? Êtes-vous son époux ?
  Et ne peut-elle...

ACHILLE
                  Non, elle n'est plus à vous.
  On ne m'abuse point par des promesses vaines°.
  Tant qu'un reste de sang coulera dans mes veines,
1355 (Vous deviez à mon sort° unir tous ses moments)
  Je défendrai mes droits fondés sur vos serments,
  Et n'est-ce pas pour moi que vous l'avez mandée[1] ?

AGAMEMNON
  Plaignez-vous donc aux dieux qui me l'ont demandée :
  Accusez et Calchas° et le camp tout entier,
1360 Ulysse, Ménélas°, et vous tout le premier.

ACHILLE
  Moi !

AGAMEMNON
        Vous, qui de l'Asie° embrassant la conquête[2],
  Querellez[3] tous les jours le ciel qui vous arrête ;
  Vous, qui vous offensant de mes justes terreurs,
  Avez dans tout le camp répandu vos fureurs°.
1365 Mon cœur pour la sauver vous ouvrait une voie ;
  Mais vous ne demandez, vous ne cherchez que Troie°.
  Je vous fermais le champ où vous voulez courir.
  Vous le voulez, partez : sa mort va vous l'ouvrir.

ACHILLE
1370 Juste ciel ! Puis-je entendre et souffrir° ce langage ?

---

1. *mandée* : fait venir.
2. *embrassant la conquête* : rêvant de conquérir.
3. *Querellez* : Accusez.

Est-ce ainsi qu'au parjure[1] on ajoute l'outrage ?
Moi, je voulais partir aux dépens de ses jours ?
Et que m'a fait à moi cette Troie• où je cours ?
Au pied de ses remparts quel intérêt• m'appelle ?
Pour qui, sourd à la voix d'une mère immortelle[2],
1375 Et d'un père éperdu négligeant les avis,
Vais-je y chercher la mort tant prédite à leur fils ?
Jamais vaisseaux partis des rives du Scamandre•
Aux champs thessaliens[3] osèrent-ils descendre ?
Et jamais dans Larisse• un lâche ravisseur
1380 Me vint-il enlever ou ma femme ou ma sœur ?
Qu'ai-je à me plaindre[4] ? Où sont les pertes que j'ai
[faites ?
Je n'y vais que pour vous, barbare que vous êtes,
Pour vous, à qui des Grecs moi seul je ne dois rien,
Vous, que j'ai fait nommer et leur chef et le mien,
1385 Vous, que mon bras vengeait dans Lesbos• enflammée,
Avant que vous eussiez assemblé votre armée.
Et quel fut le dessein qui nous assembla tous ?
Ne courons-nous pas rendre Hélène• à son époux ?
Depuis quand pense-t-on qu'inutile à moi-même
1390 Je me laisse ravir une épouse que j'aime ?
Seul d'un honteux affront votre frère blessé
A-t-il droit[5] de venger son amour offensé ?
Votre fille me plut, je prétendis[6] lui plaire ;
Elle est de mes serments seule dépositaire.
1395 Content• de son hymen•, vaisseaux, armes, soldats,
Ma foi• lui promit tout, et rien à Ménélas•.
Qu'il poursuive, s'il veut, son épouse enlevée ;
Qu'il cherche une victoire à mon sang• réservée.
Je ne connais Priam•, Hélène, ni Pâris• ;
1400 Je voulais votre fille, et ne pars qu'à ce prix.

---

1. *parjure* : non-respect d'un serment.
2. *une mère immortelle* : la nymphe Thétis.
3. *Aux champs thessaliens* : Dans la plaine de Thessalie, patrie d'Achille.
4. *Qu'ai-je à me plaindre ?* : Quelles raisons ai-je de me plaindre ?
5. *A-t-il droit ?* : A-t-il le droit ?
6. *je prétendis* : j'aspirai à.

AGAMEMNON

Fuyez donc. Retournez dans votre Thessalie•.
Moi-même je vous rends le serment qui vous lie.
Assez d'autres viendront, à mes ordres soumis,
Se couvrir des lauriers qui vous furent promis,
1405 Et par d'heureux exploits forçant[1] la destinée,
Trouveront[2] d'Ilion• la fatale• journée.
J'entrevois vos mépris, et juge à vos discours
Combien j'achèterais vos superbes• secours.
De la Grèce déjà vous vous rendez l'arbitre :
1410 Ses rois, à vous ouïr•, m'ont paré d'un vain• titre.
Fier• de votre valeur, tout, si je vous en crois,
Doit marcher, doit fléchir, doit trembler sous vos lois.
Un bienfait reproché tint toujours lieu d'offense.
Je veux moins de valeur, et plus d'obéissance.
1415 Fuyez. Je ne crains point votre impuissant courroux,
Et je romps tous les nœuds• qui m'attachent à vous.

ACHILLE

Rendez grâce au seul nœud qui retient ma colère.
D'Iphigénie encor je respecte le père.
Peut-être, sans ce nom, le chef de tant de rois
1420 M'aurait osé braver pour la dernière fois.
Je ne dis plus qu'un mot ; c'est à vous de m'entendre• :
J'ai votre fille ensemble et ma gloire[3] à défendre.
Pour aller jusqu'au cœur que vous voulez percer,
Voilà par quel chemin[4] vos coups doivent passer.

SCÈNE 7. AGAMEMON, *seul*

1425 Et voilà ce qui rend sa perte inévitable.
Ma fille toute seule était plus redoutable.
Ton insolent amour, qui croit m'épouvanter,
Vient de hâter le coup que tu veux arrêter.

---

1. *forçant* : triomphant de.
2. *Trouveront* : Verront arriver.
3. *votre fille ensemble et ma gloire* : votre fille et ma gloire tout à la fois.
4. *par quel chemin* : d'un geste, Achille montre sa poitrine.

Ne délibérons plus. Bravons sa violence.
1430 Ma gloire* intéressée[1] emporte la balance.
Achille menaçant[2] détermine mon cœur :
Ma pitié semblerait un effet de ma peur.
Holà ! Gardes, à moi !

*Jean Davy et Jean Yonnel dans Iphigénie en Aulide,
mise en scène d'André Jolivet, Comédie-Française, 1949.*

1. *Ma gloire intéressée* : L'intérêt que je porte à ma gloire.
2. *Achille menaçant* : les menaces d'Achille.

Questions

Compréhension

1. À quel sujet Achille et Agamemnon s'opposent-ils au début de la scène 6 ? Sur quel autre point finissent-ils par s'affronter ?

2. Repérez le moment précis où Agamemnon contre-attaque. Pourquoi se sent-il alors en position de supériorité ?

3. Retrouvez, sur l'ensemble de la scène, tous les reproches qu'Achille adresse à Agamemnon.

4. Sur quels points l'argumentation et la démarche d'Achille rejoignent-elles celles de Clytemnestre ?

5. Quelles sont les répercussions de cet affrontement sur Agamemnon ?

Écriture

6. Vers 1323 à 1334 : de quelle figure de style Achille use-t-il pour s'adresser à Agamemnon ? Quelle intention marque-t-elle ?

7. Étudiez le rythme des vers 1335 à 1357. Quelle progression remarquez-vous dans le ton utilisé par Agamemnon ?

8. Quels vers, dans la tirade d'Achille (v. 1369 à 1416), vous semblent particulièrement injurieux pour Agamemnon ?

9. Relevez les marques du mépris dans la dernière tirade d'Agamemnon (v. 1401 à 1416).

Mise en scène

10. Quelles attitudes et quelle physionomie prêteriez-vous à Agamemnon dans la scène 7 ?

SCÈNE 8. AGAMEMNON, EURYBATE, GARDES

EURYBATE

Seigneur.

AGAMEMNON

Que vais-je faire ?
Puis-je leur prononcer[1] cet ordre sanguinaire ?
1435 Cruel•! à quel combat faut-il te préparer ?
Quel est cet ennemi que tu leur* vas livrer ?
Une mère m'attend, une mère intrépide,
Qui défendra son sang• contre un père homicide.
Je verrai mes soldats, moins barbares que moi,
1440 Respecter dans ses bras la fille de leur roi.
Achille nous menace, Achille nous méprise ;
Mais ma fille en est-elle à mes lois moins soumise ?
Ma fille, de l'autel cherchant à s'échapper,
Gémit-elle du coup dont je la veux frapper ?
1445 Que dis-je ? Que prétend mon sacrilège zèle• ?
Quels vœux, en l'immolant, formerai-je sur elle[2] ?
Quelques prix glorieux qui me soient proposés,
Quels lauriers me plairont de son sang arrosés ?
Je veux fléchir des dieux la puissance suprême ?
1450 Ah ! quels dieux me seraient plus cruels que moi-même ?
Non, je ne puis. Cédons au sang, à l'amitié•,
Et ne rougissons plus d'une juste pitié.
Qu'elle vive. Mais quoi ? peu jaloux de• ma gloire•,
Dois-je au superbe• Achille accorder la victoire ?
1455 Son téméraire orgueil, que je vais redoubler,
Croira que je lui cède, et qu'il m'a fait trembler...
De quel frivole soin• mon esprit s'embarrasse !
Ne puis-je pas d'Achille humilier l'audace ?
Que ma fille à ses yeux soit un sujet d'ennui•.
1460 Il l'aime : elle vivra pour un autre que lui.
Eurybate, appelez la princesse, la reine.
Qu'elles ne craignent point.

---

1. *prononcer* : dire à haute voix.
2. *sur elle* : à son sujet.

SCÈNE 9. Agamemnon, Gardes

Argamemnon

Grands dieux, si votre haine
Persévère à vouloir l'arracher de mes mains,
Que peuvent devant vous tous les faibles humains ?
1465 Loin de la secourir, mon amitié• l'opprime•,
Je le sais ; mais, grands dieux, une telle victime
Vaut bien que confirmant vos rigoureuses lois,
Vous me la demandiez une seconde fois.

SCÈNE 10. Agamemnon, Clytemnestre, Iphigénie, Ériphile, Eurybate, Doris, Gardes

Agamemnon

Allez, madame, allez ; prenez soin de sa vie.
1470 Je vous rends votre fille, et je vous la confie.
Loin de ces lieux cruels• précipitez ses pas ;
Mes gardes vous suivront, commandés par Arcas :
Je veux bien excuser son heureuse imprudence.
Tout dépend du secret et de la diligence[1],
1475 Ulysse ni Calchas• n'ont point encor parlé ;
Gardez que[2] ce départ ne leur soit révélé.
Cachez bien votre fille ; et que tout le camp croie
Que je la retiens seule, et que je vous renvoie.
Fuyez. Puissent les dieux, de mes larmes contents•,
1480 À mes tristes• regards ne l'offrir de longtemps !
Gardes, suivez la reine.

Clytemnestre

Ah ! seigneur.

Iphigénie

Ah ! mon père.

---

1. *diligence* : rapidité.
2. *Gardez que* : Prenez garde à ce que.

AGAMEMNON
Prévenez de Calchas• l'empressement sévère•.
Fuyez, vous dis-je. Et moi, pour vous favoriser,
Par de feintes raisons je m'en vais l'abuser;
1485 Je vais faire suspendre une pompe• funeste•,
Et de ce jour au moins lui demander le reste.

SCÈNE 11. ÉRIPHILE, DORIS

ÉRIPHILE
Suis-moi. Ce n'est pas là, Doris, notre chemin.

DORIS
Vous ne les suivez pas?

ÉRIPHILE
Ah! je succombe enfin•.
Je reconnais l'effet des tendresses d'Achille.
1490 Je n'emporterai point une rage[1] inutile.
Plus de raisons. Il faut ou la perdre ou périr.
Viens, te dis-je. À Calchas je vais tout découvrir[2].

---

1. *une rage* : une fureur jalouse.
2. *découvrir* : révéler.

Questions

Compréhension

1. *Sur quelles péripéties l'acte IV s'achève-t-il ?*

2. *Commentez la solution envisagée par Agamemnon. Quelles en sont les motivations ?*

3. *Quelle crainte subsiste cependant dans l'esprit d'Agamemnon ? (scène 9)*

4. *Comment se manifeste l'efficacité du «roi des rois» dans la scène 10 ?*

5. *Pour quelle raison précise Ériphile est-elle désormais décidée à perdre Iphigénie ? (scène 11)*

Écriture

6. *Étudiez la composition du monologue d'Agamemnon dans la scène 9 (v. 1432 à 1462). Quel est l'effet recherché par Racine ?*

7. *Quelles particularités stylistiques présentent les répliques d'Ériphile dans la scène 11 ? Que révèlent-elles de l'état d'esprit du personnage ?*

Mise en scène

8. *Comment régleriez-vous les déplacements des personnages dans ces quatre scènes ?*

Bilan

L'action

• Ce que nous savons

Alors que tout semblait perdu pour Iphigénie, un ultime revirement d'Agamemnon est venu – in extremis – lui redonner une faible chance de salut. Le «roi des rois», pratiquement insaisissable depuis la fin de l'acte I, a été mis au pied du mur. Obligé de reconnaître la vérité, il a d'abord résisté à trois assauts successifs :
- *la pathétique prière d'Iphigénie ;*
- *le violent réquisitoire de Clytemnestre ;*
- *les menaces d'Achille.*

L'égoïsme, la dureté et la rage ont failli l'emporter. Mais, dans un dernier examen de conscience, Agamemnon a trouvé une solution intermédiaire, propre à satisfaire son amour paternel et son ressentiment contre Achille : il organise la fuite d'Iphigénie, mais interdira à celle-ci d'épouser son fiancé.

Cet espoir, cependant, est compromis par le projet d'Ériphile : déterminée à faire échouer le plan d'Agamemnon, elle s'apprête à tout révéler à Calchas*. Ériphile, qui évoluait jusqu'à présent en marge du drame, en simple spectatrice, est entrée dans le jeu de l'action, mais pour y endosser le rôle du traître.

• À quoi nous attendre ?

1. Pour le spectateur, le suspense reste entier. L'issue des événements, désormais très proche, tient à un fil : Iphigénie aura-t-elle le temps de fuir avant qu'Ériphile ne prévienne Calchas ?

2. Comment se réglera le conflit avec le divin ? Les dieux, qu'Agamemnon va faire consulter une nouvelle fois (v. 1468), maintiendront-ils leur cruelle exigence : «le sang d'une fille d'Hélène* » ?

Les personnages

• Ce que nous savons

Dans cet acte très tendu, fait d'affrontements et de déchirements, les passions se sont exacerbées. La jalousie d'Ériphile, la fureur de Clytemnestre, la fougue d'Achille et l'orgueil d'Agamemnon ont basculé dans la démesure.

Assailli de toutes parts, ébranlé au plus profond de lui-même, Agamemnon est apparu dans toute sa complexité : le chef avide de gloire et jaloux de ses prérogatives est aussi un père aimant, torturé par le remords.

Seule, Iphigénie échappe à la démesure, à la violence, à la haine ; sa douceur et sa soumission ont certainement contribué à faire revenir Agamemnon sur sa décision.

• **À quoi nous attendre ?**

1. Iphigénie peut-elle accepter la solution d'Agamemnon qui, si elle lui sauve la vie, la prive de l'amour d'Achille, sa suprême raison de vivre ?

2. Si le plan d'Agamemnon échoue, Achille mettra-t-il ses menaces à exécution : aura-t-il recours à la force armée pour sauver Iphigénie ?

3. Ériphile ira-t-elle jusqu'au bout de l'alternative qu'elle s'est fixée : perdre Iphigénie ou mourir ?

Jean-Baptiste Malartre (Achille), Valérie Dréville (Iphigénie)
et Martine Chevallier (Clytemnestre),
lors d'une représentation d'Iphigénie à la Comédie-Française, en 1991.

Achille priant Iphigénie de le suivre (acte V, sc. 2, v. 1516 à 1518),
gravure de H. Gravelot.

ACTE V

SCÈNE 1. IPHIGÉNIE, ÆGINE

IPHIGÉNIE

Cesse de m'arrêter. Va, retourne à ma mère,
Ægine : il faut des dieux apaiser la colère.
1495 Pour ce sang° malheureux qu'on veut leur dérober,
Regarde quel orage est tout prêt à¹ tomber.
Considère l'état où* la reine est réduite ;
Vois comme tout le camp s'oppose à notre fuite ;
Avec quelle insolence ils ont de toutes parts
1500 Fait briller à nos yeux la pointe de leurs dards.
Nos gardes repoussés, la reine évanouie...
Ah ! c'est trop l'exposer : souffre° que je la fuie ;
Et sans attendre ici ses secours impuissants,
Laisse-moi profiter du trouble° de ses sens.
1505 Mon père même, hélas ! puisqu'il faut te le dire,
Mon père, en me sauvant, ordonne que j'expire.

ÆGINE

Lui, madame ? Quoi donc ? Qu'est-ce qui s'est passé ?

IPHIGÉNIE

Achille trop ardent l'a peut-être offensé ;
Mais le roi, qui le hait, veut que je le haïsse :
1510 Il ordonne à mon cœur cet affreux sacrifice.
Il m'a fait par Arcas expliquer ses souhaits :
Ægine, il me défend de lui parler jamais.

ÆGINE

Ah ! madame.

IPHIGÉNIE

Ah, sentence ! ah, rigueur inouïe !
Dieux plus doux, vous n'avez demandé que ma vie !

---

1. *prêt à* : près de.

1515 Mourons, obéissons. Mais qu'est-ce que je voi[1] ?
Dieux ! Achille ?

SCÈNE 2. ACHILLE, IPHIGÉNIE

ACHILLE

            Venez, madame, suivez-moi.
Ne craignez ni les cris ni la foule impuissante
D'un peuple qui se presse• autour de cette tente.
Paraissez ; et bientôt sans attendre mes coups,
1520 Ces flots tumultueux s'ouvriront devant vous.
Patrocle•, et quelques chefs qui marchent à ma suite,
De mes Thessaliens vous amènent l'élite.
Tout le reste, assemblé près de mon étendard,
Vous offre de ses rangs l'invincible rempart.
1525 À vos persécuteurs opposons cet asile.
Qu'ils viennent vous chercher sous les tentes d'Achille.
    Quoi ! madame, est-ce ainsi que vous me secondez[2] ?
Ce n'est que par des pleurs que vous me répondez.
Vous fiez-vous encore à de si faibles armes ?
1530 Hâtons-nous : votre père a déjà vu vos larmes.

IPHIGÉNIE

Je le sais bien, seigneur : aussi tout mon espoir
N'est plus qu'au[3] coup mortel que je vais recevoir.

ACHILLE

Vous, mourir ? Ah ! cessez de tenir ce langage.
Songez-vous quel serment vous et moi nous engage ?
1535 Songez-vous (pour trancher[4] d'inutiles discours)
Que le bonheur d'Achille est fondé sur vos jours ?

IPHIGÉNIE

Le ciel n'a point aux jours de cette infortunée

---

1. *je voi* : je vois.
2. *secondez* : venez en aide.
3. *qu'au* : que dans.
4. *trancher* : couper court à.

Attaché le bonheur de votre destinée.
Notre amour nous trompait ; et les arrêts du sort•
1540 Veulent que ce bonheur soit un fruit de ma mort.
Songez, seigneur, songez à ces moissons de gloire•
Qu'à vos vaillantes mains présente la victoire.
Ce champ si glorieux où vous aspirez tous,
Si mon sang ne l'arrose, est stérile pour vous.
1545 Telle est la loi des dieux à mon père dictée.
En vain, sourd à Calchas•, il l'avait rejetée :
Par la bouche des Grecs contre moi conjurés
Leurs ordres éternels se sont trop déclarés.
Partez : à vos honneurs• j'apporte trop d'obstacles.
1550 Vous-même dégagez la foi• de vos oracles[1] ;
Signalez[2] ce héros à la Grèce promis,
Tournez votre douleur contre ses ennemis.
Déjà Priam• pâlit ; déjà Troie• en alarmes•
Redoute mon bûcher, et frémit de vos larmes.
1555 Allez ; et dans ses murs vides de citoyens,
Faites pleurer ma mort aux veuves des Troyens.
Je meurs dans cet espoir, satisfaite et tranquille.
Si je n'ai vécu la compagne d'Achille,
J'espère que du moins un heureux avenir
1560 À vos faits[3] immortels joindra mon souvenir ;
Et qu'un jour mon trépas, source de votre gloire,
Ouvrira le récit d'une si belle histoire.
Adieu, prince ; vivez, digne race des dieux.

ACHILLE

Non, je ne reçois[4] point vos funestes• adieux.
1565 En vain par ce discours votre cruelle• adresse
Veut servir votre père, et tromper ma tendresse.
En vain vous prétendez, obstinée à mourir,
Intéresser ma gloire à vous laisser périr :
Ces moissons de lauriers, ces honneurs, ces conquêtes,
1570 Ma main, en vous servant, les trouve toutes prêtes.

---

1. *dégagez la foi de vos oracles* : accomplissez ce que les oracles exigent de vous.
2. *Signalez* : Faites connaître.
3. *faits* : exploits.
4. *reçois* : accepte.

Et qui de ma faveur se voudrait honorer,
Si mon hymen* prochain ne peut vous assurer[1] ?
Ma gloire*, mon amour vous ordonnent de vivre.
Venez, madame ; il faut les en croire, et me suivre.

IPHIGÉNIE

1575 Qui ? moi ? Que contre un père osant me révolter,
Je mérite la mort que j'irais éviter ?
Où serait le respect ? Et ce devoir suprême...

ACHILLE

Vous suivrez un époux avoué[2] par lui-même.
C'est un titre qu'en vain il prétend me voler.
1580 Ne fait-il des serments que pour les violer ?
Vous-même, que retient un devoir si sévère*,
Quand il vous donne à moi, n'est-il point votre père ?
Suivez-vous seulement ses ordres absolus
Quand il cesse de l'être et ne vous connaît* plus ?
1585 Enfin, c'est trop tarder, ma princesse ; et ma crainte...

IPHIGÉNIE

Quoi ? seigneur, vous iriez jusques à la contrainte ?
D'un coupable transport* écoutant la chaleur,
Vous pourriez ajouter ce comble à mon malheur ?
Ma gloire vous serait moins chère que ma vie ?
1590 Ah ! seigneur, épargnez la triste* Iphigénie.
Asservie à des lois que j'ai dû respecter,
C'est déjà trop pour moi que de vous écouter.
Ne portez pas plus loin votre injuste victoire ;
Ou par mes propres mains immolée à ma gloire,
1595 Je saurai m'affranchir, dans ces extrémités,
Du secours dangereux que vous me présentez[3].

ACHILLE

Hé bien ! n'en parlons plus. Obéissez, cruelle*,
Et cherchez une mort qui vous semble si belle.

---

1. *assurer* : mettre en sûreté.
2. *avoué* : accepté.
3. *me présentez* : m'offrez.

Portez à votre père un cœur où j'entrevoi[1]
1600 Moins de respect pour lui que de haine pour moi.
Une juste fureur• s'empare de mon âme.
Vous allez à l'autel, et moi, j'y cours, madame.
Si de sang et de morts le ciel est affamé,
Jamais de plus de sang ses autels n'ont fumé[2].
1605 À mon aveugle amour tout sera légitime.
Le prêtre deviendra la première victime ;
Le bûcher, par mes mains détruit et renversé,
Dans le sang des bourreaux nagera dispersé ;
Et si dans les horreurs• de ce désordre extrême
1610 Votre père frappé tombe et périt lui-même,
Alors, de vos respects voyant les tristes• fruits,
Reconnaissez les coups que vous aurez conduits[3].

IPHIGÉNIE

Ah ! seigneur. Ah ! cruel•... Mais il fuit, il m'échappe.
Ô toi, qui veux ma mort, me voilà seule, frappe ;
1615 Termine, juste ciel, ma vie et mon effroi,
Et lance ici des traits qui n'accablent que moi.

---

1. *j'entrevoi* : j'entrevois.
2. *n'ont fumé* : n'auront fumé (l'action future est présentée comme déjà réalisée).
3. *conduits* : dirigés.

Questions

Compréhension

1. *Le dénouement est proche et les événements se précipitent dangereusement. Que s'est-il passé pendant l'entracte ?*

2. *Pour quelle raison profonde Iphigénie n'aspire-t-elle plus désormais qu'à mourir ? Pourquoi n'en dit-elle rien à Achille ? Quels vers, dans la scène 2, y font cependant une discrète allusion ?*

3. *Par quels prétextes tente-t-elle de convaincre Achille de la nécessité de sa mort ? Précisez leur effet sur son amant.*

4. *Achille déploie une énergie colossale pour sauver Iphigénie malgré elle. Retrouvez tous les moyens mis en œuvre à cet effet.*

5. *Dans quel climat s'achève ce deuxième tête-à-tête entre Iphigénie et Achille ? Quel dénouement laisse-t-il présager ?*

Écriture

6. *Relevez les vers où transparaît la haine d'Achille à l'égard d'Agamemnon. Pourquoi sont-ils particulièrement cruels pour Iphigénie ?*

7. *En quels termes sont traduites les réactions de la foule ?*

8. *Étudiez la variété des tons dans les répliques d'Achille.*

9. *Vers 1602 à 1612 : quels procédés de style rendent plus saisissante l'évocation finale du carnage ?*

10. *Relevez quelques exemples de style imagé dans ces deux scènes.*

11. *Étudiez le rythme des vers 1493-1494 : que révèle-t-il de l'état d'âme d'Iphigénie dans la scène 1 ?*

Mise en scène

12. *Quel jeu suggéreriez-vous pour Achille pendant sa dernière réplique (v. 1597 à 1612) ?*

SCÈNE 3. Clytemnestre, Iphigénie, Ægine,
Eurybate, Gardes

Clytemnestre

Oui, je la défendrai contre toute l'armée.
Lâches, vous trahissez votre reine opprimée•!

Eurybate

Non, madame, il suffit que vous me commandiez :
1620 Vous nous verrez combattre et mourir à vos pieds.
Mais de nos faibles mains que pouvez-vous attendre ?
Contre tant d'ennemis qui vous* pourra défendre ?
Ce n'est plus un vain• peuple en désordre assemblé ;
C'est d'un zèle• fatal• tout le camp aveuglé.
1625 Plus de pitié. Calchas• seul règne, seul commande :
La piété• sévère• exige son offrande.
Le roi de son pouvoir se voit déposséder,
Et lui-même au torrent nous contraint de céder.
Achille à qui tout cède, Achille à cet orage
1630 Voudrait lui-même en vain opposer son courage•.
Que fera-t-il, madame ? et qui peut dissiper
Tous les flots d'ennemis prêts à l'envelopper ?

Clytemnestre

Qu'ils viennent donc sur moi prouver leur zèle impie,
Et m'arrachent ce peu qui me reste de vie.
1635 La mort seule, la mort pourra rompre les nœuds•
Dont mes bras nous vont joindre et lier toutes deux.
Mon corps sera plutôt séparé de mon âme,
Que je souffre jamais... Ah ! ma fille.

Iphigénie

Ah ! madame.
Sous quel astre cruel• avez-vous mis au jour
1640 Le malheureux objet d'une si tendre amour* ?
Mais que pouvez-vous faire en l'état où nous sommes ?
Vous avez à combattre et les dieux et les hommes.
Contre un peuple en fureur• vous exposerez-vous ?
N'allez point, dans un camp rebelle à votre époux,
1645 Seule à me retenir vainement obstinée,
Par des soldats peut-être indignement traînée,

Présenter, pour tout fruit d'un déplorable effort,
Un spectacle à mes yeux plus cruel° que la mort.
Allez : laissez aux Grecs achever leur ouvrage,
1650 Et quittez pour jamais un malheureux rivage.
Du bûcher qui m'attend, trop voisin de ces lieux,
La flamme° de trop près viendrait frapper vos yeux.
Surtout, si vous m'aimez, par cet amour de mère,
Ne reprochez jamais mon trépas à mon père.

CLYTEMNESTRE

1655 Lui ! par qui votre cœur à Calchas° présenté...

IPHIGÉNIE

Pour me rendre à vos pleurs que n'a-t-il point tenté ?

CLYTEMNESTRE

Par quelle trahison le cruel m'a déçue° !

IPHIGÉNIE

Il me cédait aux dieux, dont il m'avait reçue.
Ma mort n'emporte pas tout le fruit de vos feux° :
1660 De l'amour qui vous joint vous avez d'autres nœuds° ;
Vos yeux me reverront dans Oreste° mon frère.
Puisse-t-il être, hélas ! moins funeste à sa mère !
    D'un peuple impatient vous entendez la voix.
Daignez m'ouvrir vos bras pour la dernière fois,
1665 Madame ; et rappelant votre vertu° sublime...
Eurybate, à l'autel conduisez la victime.

SCÈNE 4. CLYTEMNESTRE, ÆGINE, GARDES

CLYTEMNESTRE

Ah ! vous n'irez pas seule ; et je ne prétends pas...
Mais on se jette en foule au-devant de mes pas.
Perfides°, contentez votre soif sanguinaire.

ÆGINE

1670 Où courez-vous, madame, et que voulez-vous faire ?

CLYTEMNESTRE

Hélas! je me consume en impuissants efforts,
Et rentre au¹ trouble• affreux dont à peine je sors.
Mourrai-je tant de fois sans sortir de la vie?

ÆGINE

Ah! savez-vous le crime, et qui vous a trahie,
1675 Madame? Savez-vous quel serpent inhumain
Iphigénie avait retiré² dans son sein?
Ériphile, en ces lieux par vous-même conduite,
A seule à tous·les Grecs révélé votre fuite.

CLYTEMNESTRE

Ô monstre, que Mégère• en ses flancs a porté!
1680 Monstre, que dans nos bras les enfers ont jeté!
Quoi? tu ne mourras point? Quoi? pour punir son
[crime...
Mais où va ma douleur chercher une victime?
Quoi? pour noyer les Grecs et leurs mille vaisseaux,
Mer, tu n'ouvriras pas des abîmes nouveaux?
1685 Quoi? lorsque les chassant du port qui les recèle³,
L'Aulide• aura vomi leur flotte criminelle,
Les vents, les mêmes vents, si longtemps accusés,
Ne te couvriront pas de ses vaisseaux brisés?
    Et toi, soleil⁴, et toi, qui dans cette contrée
1690 Reconnais l'héritier et le vrai fils d'Atrée•,
Toi, qui n'osas du père éclairer le festin⁵,
Recule, ils t'ont appris ce funeste• chemin.
    Mais, cependant•, ô ciel! ô mère infortunée!
De festons⁶ odieux ma fille couronnée
1695 Tend la gorge aux couteaux par son père apprêtés.
Calchas• va dans son sang... Barbares, arrêtez!

---

1. *rentre au* : éprouve de nouveau.
2. *retiré* : abrité.
3. *recèle* : enferme.
4. *soleil* : le soleil était honoré comme une divinité chez les Grecs.
5. *festin* : l'horrible festin où Atrée fit manger à Thyeste ses enfants (cf. v. 1252).
6. *festons* : bandelettes.

C'est le pur sang du dieu qui lance le tonnerre...
J'entends gronder la foudre, et sens trembler la terre.
Un dieu vengeur, un dieu fait retentir ces coups.

Ægine et Eurybate, gravure d'après un dessin de P. Chery.
Paris, Bibliothèque de la Comédie-Française.

Questions

Compréhension

1. *Quel est l'état d'esprit de Clytemnestre quand elle entre en scène ? Retrouvez tout ce qui va contribuer, au cours de ces deux scènes, à déchaîner sa rage.*

2. *Vers 1621 à 1632 : dans quel sens la situation à l'intérieur du camp a-t-elle évolué ?*

3. *Quelles préoccupations essentielles ressortent des adieux qu'Iphigénie adresse à sa mère (v. 1639 à 1666) ?*

4. *Quelle image le spectateur garde-t-il de la dernière apparition d'Iphigénie sur scène ?*

5. *Quel malentendu explique, en partie, la hargne de Clytemnestre à l'égard d'Agamemnon (v. 1655 et 1657) ?*

6. *Quel est, au plus profond de son désespoir, l'ultime recours de Clytemnestre (v. 1679 à 1699) ?*

7. *Relevez toutes les références aux dieux, ainsi que les manifestations du surnaturel dans ces deux scènes.*

Écriture

8. *À peu de temps du dénouement, le sentiment dominant est celui d'une impossible lutte contre les événements. Relevez les expressions qui, dans ces deux scènes, installent cette atmosphère tragique.*

9. *Quelles images sont associées à Ériphile ?*

10. *Vers 1679 à 1699 : par quels procédés stylistiques Racine a-t-il rendu sensible le délire de Clytemnestre ?*

Mise en scène

11. *Relevez les vers qui, dans ces deux scènes, suggèrent des déplacements de personnages, une agitation extrême.*

12. *Comment orienteriez-vous le jeu de Clytemnestre dans sa dernière réplique ? Quel type d'actrice imagineriez-vous pour interpréter ce rôle ?*

SCÈNE 5. Clytemnestre, Arcas, Ægine, Gardes

Arcas

1700 N'en doutez point, madame, un dieu combat pour
[vous.
Achille en ce moment exauce vos prières ;
Il a brisé des Grecs les trop faibles barrières.
Achille est à l'autel. Calchas° est éperdu.
Le fatal° sacrifice est encor suspendu.
1705 On se menace, on court, l'air gémit, le fer brille.
Achille fait ranger autour de votre fille
Tous ses amis, pour lui prêts à se dévouer[1].
Le triste° Agamemnon, qui n'ose l'avouer[2],
Pour détourner ses yeux des meurtres qu'il présage[3],
1710 Ou pour cacher ses pleurs, s'est voilé le visage.
Venez, puisqu'il se tait, venez par vos discours
De votre défenseur appuyez le secours.
Lui-même de sa main, de sang toute fumante,
Il veut entre vos bras remettre son amante° ;
1715 Lui-même il m'a chargé de conduire vos pas.
Ne craignez rien.

Clytemnestre

Moi, craindre ? Ah ! courons, cher
[Arcas.
Le plus affreux péril n'a rien dont je pâlisse.
J'irai partout. Mais dieux ! ne vois-je pas Ulysse ?
C'est lui. Ma fille est morte, Arcas, il n'est plus temps.

---

1. *à se dévouer* : à se sacrifier.
2. *avouer* : approuver.
3. *présage* : prévoit.

SCÈNE 6. Ulysse, Clytemnestre, Arcas,
Ægine, Gardes

ULYSSE
1720 Non, votre fille vit, et les dieux sont contents•.
Rassurez-vous. Le ciel a voulu[1] vous la rendre.

CLYTEMNESTRE
Elle vit! Et c'est vous qui venez me l'apprendre!

ULYSSE
Oui, c'est moi, qui longtemps contre elle et contre vous
Ai cru devoir, madame, affermir votre époux;
1725 Moi, qui jaloux• tantôt de l'honneur• de nos armes,
Par d'austères conseils ai fait couler vos larmes,
Et qui viens, puisque enfin le ciel est apaisé,
Réparer tout l'ennui• que je vous ai causé.

CLYTEMNESTRE
Ma fille! Ah! prince. Ô ciel! Je demeure éperdue.
1730 Quel miracle•, seigneur, quel dieu me l'a rendue?

ULYSSE
Vous m'en voyez moi-même en cet heureux moment
Saisi d'horreur•, de joie et de ravissement.
Jamais jour n'a paru si mortel à la Grèce.
Déjà de tout le camp la discorde maîtresse
1735 Avait sur tous les yeux mis son bandeau fatal•,
Et donné du combat le funeste• signal.
De ce spectacle affreux votre fille alarmée[2]
Voyait pour elle Achille, et contre elle l'armée.
Mais, quoique seul pour elle, Achille furieux•
1740 Épouvantait l'armée, et partageait[3] les dieux.
Déjà de traits en l'air s'élevait un nuage;
Déjà coulait le sang, prémices[4] du carnage.
Entre les deux partis Calchas• s'est avancé,

---

1. *a voulu* : a consenti à.
2. *alarmée* : angoissée.
3. *partageait* : divisait en partis adverses.
4. *prémices* : signes avant-coureurs.

L'œil farouche, l'air sombre, et le poil[1] hérissé,
1745 Terrible, et plein du dieu qui l'agitait sans doute :
Vous, Achille, a-t-il dit, et vous, Grecs, qu'on m'écoute.
Le dieu qui maintenant vous parle par ma voix
M'explique son oracle, et m'instruit de son choix.
Un autre sang* d'Hélène*, une autre Iphigénie
1750 *Sur ce bord* immolée y doit laisser sa vie.*
Thésée* avec Hélène uni secrètement
Fit succéder l'hymen* à son enlèvement.
Une fille en sortit, que sa mère a celée[2] ;
Du nom d'Iphigénie elle fut appelée.
1755 *Je vis moi-même alors ce fruit de leurs amours.*
D'un sinistre[3] avenir je menaçai ses jours.
Sous un nom emprunté sa noire* destinée
Et ses propres fureurs* ici l'ont amenée.
Elle me voit, m'entend, elle est devant vos yeux.
1760 *Et c'est elle, en un mot, que demandent les dieux.*
    Ainsi parle Calchas*. Tout le camp immobile
L'écoute avec frayeur, et regarde Ériphile.
Elle était à l'autel, et peut-être en son cœur
Du fatal* sacrifice accusait la lenteur.
1765 Elle-même tantôt, d'une course subite,
Était venue aux Grecs annoncer votre fuite.
On admire[4] en secret sa naissance et son sort*.
Mais puisque Troie* enfin est le prix de sa mort,
L'armée à haute voix se déclare contre elle,
1770 Et prononce à Calchas sa sentence mortelle.
Déjà pour la saisir Calchas lève le bras :
Arrête, a-t-elle dit, et ne m'approche pas.
Le sang de ces héros dont tu me fais descendre
Sans tes profanes mains saura bien se répandre.
1775 Furieuse, elle vole, et sur l'autel prochain[5]
Prend le sacré couteau[6], le plonge dans son sein.
À peine son sang coule et fait rougir la terre,

---

1. *poil* : barbe et cheveux (sans nuance péjorative).
2. *celée* : cachée.
3. *sinistre* : de mauvais augure.
4. *on admire* : on s'étonne de.
5. *prochain* : proche.
6. *le sacré couteau* : le couteau utilisé pour le sacrifice rituel.

Les dieux font sur l'autel entendre le tonnerre;
Les vents agitent l'air d'heureux frémissements,
1780 Et la mer leur répond par ses mugissements;
La rive au loin gémit, blanchissante d'écume.
La flamme du bûcher d'elle-même s'allume :
Le ciel brille d'éclairs, s'entrouve, et parmi nous
Jette une sainte horreur• qui nous rassure tous.
1785 Le soldat étonné[1] dit que dans une nue
Jusque sur le bûcher Diane• est descendue,
Et croit que s'élevant au travers de ses feux•,
Elle portait au ciel notre encens et nos vœux.
Tout s'empresse, tout part. La seule Iphigénie
1790 Dans ce commun bonheur pleure son ennemie.
Des mains d'Agamemnon venez la recevoir.
Venez. Achille et lui, brûlants[2] de vous revoir,
Madame, et désormais tous deux d'intelligence[3],
Sont prêts à confirmer leur auguste alliance.

CLYTEMNESTRE
1795 Par quel prix, quel encens, ô ciel, puis-je jamais
Récompenser Achille, et payer tes bienfaits?

---

1. *Le soldat étonné* : Les soldats stupéfaits (singulier collectif).
2. *brûlants* : impatients.
3. *d'intelligence* : réconciliés.

Compréhension

1. Dans quelle mesure le récit d'Arcas relance-t-il le suspense sur l'issue des événements ?

2. L'attitude prêtée à Agamemnon aux vers 1708 à 1711 vous semble-t-elle en accord avec ce que vous savez du personnage ?

3. Quel était, pour le dramaturge, l'intérêt de confier le récit final à Ulysse ?

4. Par quels détails Racine a-t-il accentué l'héroïsme d'Achille et la générosité d'Iphigénie ?

5. Quels traits de caractère ce dénouement fait-il apparaître chez Ériphile ? Son sort éveille-t-il la pitié ?

6. Étudiez les réactions diverses de la foule.

7. Quelle image ces deux dernières scènes donnent-elles de Calchas* ? Quel rôle le devin a-t-il joué tout au long de la tragédie ? Pourquoi, à votre avis, Racine ne l'a-t-il jamais fait apparaître sur scène ?

8. Sur quelles réconciliations la tragédie s'achève-t-elle ?

9. Sous quel aspect les dieux se révèlent-ils dans la scène finale ? Comparez notamment avec la scène 1 de l'acte I.

Écriture

10. Étudiez le rythme des vers 1719 et 1729. Quelles émotions traduisent-ils ?

11. Sur quel procédé dramatique repose le dénouement ? Quel en est l'effet sur le spectateur ?

12. De quels tableaux successifs le récit d'Ulysse est-il composé ?

13. Montrez, par des relevés précis, comment se mêlent différents registres dans ce récit : dramatique (action), épique (héroïsme) et merveilleux (présence du divin).

14. Relevez quelques-uns des procédés qui donnent vie, mouvement et dynamisme à la narration d'Ulysse.

15. Quelles conventions théâtrales justifient le recours à ce type de récit ?

16. Pourquoi, à votre avis, est-on informé de l'issue des événe-

ments (v. 1720-1721) avant que ne s'engage le récit proprement dit ?

Mise en scène

17. Quelle atmosphère recréeriez-vous pour la mise en scène de ce dénouement ? Comment souligneriez-vous le contraste avec le climat de la scène 1 de l'acte I ?

Bilan

L'action

• Ce que nous savons

L'acte V est construit sur un violent contraste. Jusqu'à l'avant-dernière scène, la menace de mort pèse sur Iphigénie. La jeune fille a, en effet, accepté courageusement le sacrifice, et Achille apparaît impuissant à contenir l'armée fanatisée par Calchas*. Seule la dernière scène amène un dénouement heureux et rapide : par le biais de l'oracle, les dieux ont désigné la vraie victime, Ériphile, fille naturelle d'Hélène* et de Thésée*. Certes, le dénouement est sanglant, mais la mort de celle qui a trahi assure le bonheur des personnages sympathiques et le salut de la communauté :
• Les dieux apaisés libèrent les vents ;
• L'armée grecque part triomphalement à la conquête de Troie* ;
• Iphigénie peut épouser Achille ;
• Agamemnon fait la paix avec Clytemnestre, et son autorité royale lui est pleinement restituée.
Assurément, Racine a maintenu une certaine ambiguïté dans la conclusion de sa tragédie. S'il a accumulé suffisamment d'indices pour faire admettre rationnellement cette reconnaissance d'Ériphile, il n'a pas pour autant évacué totalement le merveilleux, hérité de la tradition légendaire et source de poésie.

Les personnages

• Ce que nous savons

Comme il se doit dans un dénouement, la destinée des principaux personnages est fixée et les caractères ont trouvé leur plénitude :
• Iphigénie, par le renoncement, s'est atteint le stade ultime de l'élévation morale. Le salut de cette « princesse vertueuse » ne peut que réjouir le spectateur ;
• Achille a été élevé au rang de héros. Son courage, décuplé par la passion, l'a rendu digne de rivaliser avec les dieux ;
• Ériphile, par son suicide, s'est définitivement exclue de la communauté des hommes. Sans éprouver le moindre remords, elle a sombré dans la « nuit du mal », assumant ainsi sa destinée tragique ;
• La douleur a conduit Clytemnestre au bord de la folie ;
• Agamemnon, de nouveau absent de cet acte, s'est laissé complètement porter par les événements. Il est le personnage de toutes les contradictions ;

• *Ulysse a su allier des qualités humaines à ses talents de diplomate ;*
• *L'autorité de Calchas*• *– toujours absent – s'est accrue. Détenteur de la parole divine, il règne en maître absolu sur les consciences.*

Le dénouement d'Iphigénie, gravure de J. de Seve.

DATES	ÉVÉNEMENTS HISTORIQUES	ÉVÉNEMENTS CULTURELS
1640		Rotrou, *Iphigénie*.
1641		Corneille, *Horace*.
1643	Mort de Louis XIII.	Condamnation de l'*Augustinus*.
1648	Début des Frondes (→ 1652).	
1653	Fouquet, surintendant des Finances.	Condamnation du jansénisme.
1655	Dispersion des Solitaires de Port-Royal.	
1658		
1659	Traité des Pyrénées avec l'Espagne.	Molière, *Les Précieuses ridicules*.
1660	Mariage de Louis XIV avec l'infante Marie-Thérèse.	Boileau, *Premières Satires*.
1661	Mort de Mazarin. Règne personnel de Louis XIV.	Premiers travaux à Versailles (Le Vau).
1662	Grand carrousel au cœur de Paris. Famine, révoltes.	Molière, *L'École des femmes*. Mort de Pascal.
1663	Le roi fait donner des pensions aux gens de lettres.	
1664	Les fêtes de «l'île enchantée» à Versailles. Fondation de la Compagnie des Indes Orientales. Expulsion des religieuses de Port-Royal.	Molière, *Le Tartuffe*. Organisation de l'Académie de peinture et de sculpture (dirigée par Le Brun).
1665	Début de l'influence de Louvois. Mort de Philippe IV d'Espagne.	La Rochefoucauld, *Maximes*. Molière, *Dom Juan*.
1666	Mort d'Anne d'Autriche.	Molière, *Le Misanthrope*.
1667	Guerre de Dévolution : la Hollande, l'Angleterre et la Suède liguées contre la France.	
1668	Paix d'Aix-la-Chapelle.	La Fontaine, *Fables* (I à VI).
1669		Bossuet, *Oraison funèbre d'Henriette de France*.
1670	Mort d'Henriette d'Angleterre. Ambassade turque à Paris.	*Pensées* de Pascal (posthume). Molière, *Le Bourgeois gentilhomme*.
1672	Guerre de Hollande. Passage du Rhin.	Molière, *Les Femmes savantes*.
1673		Mort de Molière lors d'une représentation du *Malade imaginaire*.
1674	Occupation de la Franche-Comté. Campagne de Turenne en Alsace. Nouveaux impôts.	Boileau, *L'Art poétique*. Corneille, *Suréna*. Lulli et Quinault, *Alceste* (opéra).
1675	Mort de Turenne.	Le Clerc et Coras, *Iphigénie*.
1677	Louvois, chancelier.	Spinoza, *L'Éthique*.
1678	Traités de Nimègue : l'Espagne cède la Franche-Comté à la France. Apogée du règne.	Mme de Lafayette, *La Princesse de Clèves*.
1679	L'affaire des poisons.	
1680	Brimades contre les Protestants.	Fondation de la Comédie-Française.
1684	Mariage secret de Louis XIV avec Mme de Maintenon.	Mort de Corneille.
1685	Révocation de l'édit de Nantes.	
1687	Mort de Condé.	La querelle des Anciens et des Modernes (→ 1694).
1691	Mort de Louvois.	
1697	Paix de Ryswick : coup d'arrêt à l'impérialisme de Louis XIV.	Bayle, *Dictionnaire historique et critique*. Perrault, *Contes*.
1699		Fénelon, *Les Aventures de Télémaque*.

VIE ET ŒUVRE DE RACINE	DATES
Naissance de Racine à La Ferté-Milon.	1639
Mort de sa mère, Jeanne Sconin. Mort de son père. Il entre à Port-Royal, où se trouve sa tante.	1641 1643
Poursuit ses études au collège de Beauvais, uni d'esprit avec Port-Royal.	1653
Retour à Port-Royal. Études de grec.	1655
Classe de philosophie au collège d'Harcourt à Paris. Il vit à l'hôtel de Luynes et au château de Chevreuse. *La Nymphe de la Seine,* ode qui célèbre le mariage du roi.	1658 1659 1660
Départ pour Uzès chez son oncle, dans l'espoir d'obtenir un bénéfice ecclésiastique.	1661
Retour à Paris. Ode, *La Renommée aux muses.*	1662
Il est admis à assister au lever du roi.	1663
La Thébaïde, représentée au Palais Royal par la troupe de Molière. Il reçoit une pension de 600 livres.	1664
Alexandre, premier succès. Liaison avec l'actrice la Du Parc. Brouille avec Molière.	1665
Rupture avec Port-Royal (querelle des Imaginaires). *Andromaque,* un triomphe.	1666 1667
Les Plaideurs, sa seule comédie. Mort de La Du Parc. *Britannicus.*	1668 1669
Bérénice, premier grand rôle de la Champmeslé, sa nouvelle maîtresse. Il s'impose définitivement contre Corneille.	1670
Bajazet. Racine est élu à l'Académie française. *Mithridate.* La consécration.	1672 1673
Iphigénie, représentée à Versailles puis à l'hôtel de Bourgogne. Il obtient la charge de Trésorier de France (bénéfice laïque de 2 400 livres).	1674
Phèdre. Mariage avec Catherine de Romanet (dont il aura 7 enfants). Il est nommé historiographe du roi avec Boileau. Il renonce au théâtre. Il suit le roi dans ses campagnes militaires.	1677 1678
Il est accusé par La Voisin d'avoir empoisonné la Du Parc.	1679
Iphigénie est jouée à la cour de Suède.	1684
Esther, tragédie sacrée représentée à Saint-Cyr. *Athalie.* Il est nommé gentilhomme ordinaire du roi. Rédaction de l'*Histoire de Port-Royal.*	1689 1691 1697
Mort de Racine. Il est, selon ses volontés, inhumé à Port-Royal.	1699

RACINE ET SON TEMPS

L'ESSOR DU THÉÂTRE

À partir des années 1620-1625, sous l'impulsion de jeunes talents novateurs, parmi lesquels se distinguent Théophile de Viau, Mairet, Rotrou et surtout Corneille, on assiste en France à une renaissance de la littérature dramatique. Cette effervescence créatrice se poursuit jusqu'en 1680, époque à laquelle Louis XIV tombe sous l'influence de l'austère Mme de Maintenon, bien décidée à détourner le roi des spectacles profanes pour le ramener à Dieu. En l'espace de ces soixante années, le théâtre est devenu le premier genre littéraire. Théologiens et moralistes ont beau multiplier les condamnations contre ce qu'ils jugent être une source de perdition pour les âmes des fidèles, rien n'y fait. Un public de plus en plus passionné se presse aux portes des théâtres désormais permanents, tandis que princes et riches particuliers agrémentent leurs fêtes en offrant à leurs invités des représentations privées dans leurs châteaux ou leurs hôtels. *Andromaque* sera ainsi jouée dans l'appartement de la Reine, au Louvre, puis à Vitré, chez M. de Chaulnes, en présence de Mme de Sévigné.

Au fil des polémiques qui mettent les auteurs aux prises avec les doctes – ces théoriciens du « beau » –, mais sous la pression aussi d'un public de plus en plus délicat, les différents genres dramatiques gagnent en qualité littéraire. La comédie, épurée des grossièretés et des gaudrioles de la farce, conquiert avec Molière ses lettres de noblesse. Quant à la tragédie, elle répand l'habitude des sentiments élevés et le goût du beau langage, et par là obtient les suffrages de l'aristocratie et de la bourgeoisie aisée qui, se piquant d'apprendre les belles manières, fréquentent les salons littéraires de la capitale.

Cet engouement est encouragé par le pouvoir. En faisant vivre des troupes de comédiens et en distribuant des gratifications aux auteurs dramatiques, Louis XIV ne fait d'abord que poursuivre l'action menée par Richelieu et Mazarin pour promouvoir le théâtre. Il est manifeste cependant que le goût inné du Roi-Soleil pour les spectacles, joint à l'institution d'un véritable mécénat royal et à la volonté d'éblouir les courtisans par des divertissements de choix, contribueront largement à favoriser la création dramatique. L'image de marque de l'homme de lettres s'en trouve du même coup rehaussée, même si les préjugés défavorables à l'encontre des écrivains n'ont pas encore totalement disparu à la fin de ce siècle. Racine, dont l'œuvre est écrite, pour l'essentiel, pendant les années les plus glorieuses du règne de Louis XIV (1664-1678), profite de cette évolution. Fils de petits fonctionnaires promis à une modeste charge ecclésiastique, il fait une brillante carrière à la cour, grâce à la protection de Colbert et à l'estime que lui porteront, pendant de longues années, Louis XIV et sa toute-puissante maîtresse, Mme de Montespan. Poète courtisan promu par le roi à de hautes fonctions, il suscite le respect des grands, si attachés qu'ils soient aux privilèges de la naissance. Au même titre que les grandes conquêtes militaires, ses plus belles créations participent à la gloire du Roi et rehaussent l'éclat de la cour de France, alors la plus prestigieuse d'Europe.

LA TRAGÉDIE, UN ART CODIFIÉ

En même temps que se met en place l'ordre monarchique absolu, le classicisme s'impose dans le domaine esthétique. Les écrivains, les artistes, soucieux de se conformer au goût d'un public éclairé, s'efforcent de ramener l'art à la nature, à la raison, aux normes fixées par les Anciens pour atteindre la beauté et la vérité absolues. On aboutit, en ce qui concerne la tragédie, à un certain nombre de règles, de codes, inspirés de la *Poétique* d'Aristote (384-322 av. J.-C.), et qui, appliqués avant le milieu du siècle, seront formulés par Boileau dans *L'Art poétique* en 1674, l'année même où, avec *Iphigénie,* triomphent les principes de la dramaturgie racinienne. En voici les lignes directrices :

• **Le sujet d'une tragédie**, emprunté à l'histoire ou à la légende, permet de mettre en scène des personnages hors du commun. Héros, rois ou grand seigneurs, en lutte contre une destinée cruelle, expriment leurs doutes, leurs souffrances dans une langue relevée, empreinte de noblesse. La distance ainsi créée entre le spectateur et les personnages assure la majesté du théâtre classique.

• Dans le souci de **rester fidèle à la nature**, on évite de peindre des héros trop parfaits. Leurs défauts (l'orgueil d'Agamemnon, par exemple, ou la méchanceté d'Ériphile) rendront plus acceptables les malheurs dont le destin les accable. Certes Iphigénie réunit en elle beaucoup de perfections, mais, justement, Racine prend soin de l'épargner : « *Quelle apparence,* dit-il dans sa préface, *que j'eusse souillé la scène par le meurtre horrible d'une personne aussi vertueuse et aussi aimable qu'il fallait représenter Iphigénie ?* »

• La fameuse **règle des trois unités** donne au poème tragique toute sa densité :

– **l'unité d'action**, certainement la plus importante, n'exclut pas la complexité des intrigues ; il importe seulement que les divers fils qui tissent la trame de la tragédie soient subordonnés à l'action principale. Ainsi, dans *Iphigénie,* tout est ramené à une question essentielle : Iphigénie pourra-t-elle être sauvée ? ;

– l'**unité de temps**, quant à elle, exige que l'ensemble des
événements se déroule en une seule journée (24 heures maxi-
mum), et pour éviter de rompre la continuité d'un acte, beaucoup de péripéties sont rejetées dans les entractes. Dans les
tragédies de Racine, l'action est généralement condensée à
l'extrême : elle commence à l'aube, au moment où les
menaces accumulées depuis un certain temps font éclater la
crise, et se termine avant la tombée de la nuit ;
– l'**unité de lieu** enfin réclame un décor unique, où les personnages les plus divers puissent se rencontrer. Cet usage, qui
s'imposa à partir de 1640, simplifia considérablement les problèmes de mise en scène.
• Pour rester dans le cadre de la **vraisemblance**, l'esthétique
classique bannit le recours aux situations trop extraordinaires
car, selon Boileau, « *L'esprit n'est point ému de ce qu'il ne croit
pas* » (Boileau, *L'Art poétique*, v. 50).
Paradoxalement, le merveilleux, domaine par excellence de
l'affabulation, est admis, parce qu'il relève de légendes accrédi-
tées par une longue tradition. On s'autorise cependant quelques libertés. Ainsi, à la fin d'*Iphigénie,* Racine rejette le
dénouement imaginé par Euripide, qui paraîtrait « *trop absurde
et trop incroyable* » au public du XVIIᵉ siècle, marqué par le
cartésianisme. Un subtil équilibre s'établit donc entre le goût
du merveilleux et le besoin de rationnel.
• En réaction contre les excès du théâtre baroque, la **bien-
séance**, enfin, interdit de représenter sur scène tout ce qui
pourrait choquer le bon goût du public, affiné par la vie de cour
et de salons. Morts sanglantes, violences et agonies ne par-
viennent plus au spectateur qu'atténuées, sublimées par les
beautés poétiques des récits.
Toutes ces exigences n'enferment pas pour autant le talent des
auteurs dans un carcan trop rigide. Racine, qui pourtant s'en
accommode bien mieux que Corneille, ne cessera d'opposer
aux critiques des doctes, des théoriciens, des pédants trop
pointilleux, la finalité essentielle de l'art dramatique : « *plaire et
toucher* » (cf. la préface de *Bérénice*). On vient au théâtre pour
se laisser charmer, pour partager des émotions. Seule compte,
pour les dramaturges, l'approbation du public, même le moins
fortuné – celui qui compose le parterre et assiste debout aux
représentations –, parce qu'il juge, non en fonction des règles,
mais avec son cœur, avec sa sensibilité. Molière, dans sa
Critique de l'École des femmes, en 1663, plaidait déjà dans le
même sens.

L'HÔTEL DE BOURGOGNE

Si la tragédie a ses règles, elle a aussi son temple : l'Hôtel de Bourgogne, situé dans le quartier des Halles, à l'emplacement de l'actuelle rue Étienne-Marcel. Au début du XVIIe siècle, c'est, à Paris, la seule salle aménagée pour des spectacles, des farces essentiellement. Les Confrères de la Passion, qui en sont propriétaires, la louent occassionnellement aux troupes ambulantes qui viennent se produire dans la capitale, surtout pendant les périodes d'affluence que sont les foires Saint-Germain et Saint-Laurent. Mais la plupart du temps, les représentations ont lieu dans des salles de jeu de paume ou dans les cours des hôtels particuliers.

Les choses changent à partir de 1629, quand la «Troupe Royale», anciennement «Troupe des Comédiens du Roi», s'installe à demeure à l'Hôtel de Bourgogne. Délaissant la farce, ces comédiens ambitieux se consacrent désormais au théâtre littéraire, et tout spécialement à la tragédie. Pour la première fois, les représentations ont lieu à jours fixes : le vendredi (jour des premières), le dimanche et le mardi, mais toujours en matinée. Grâce aux subventions royales, et au prix d'une lutte acharnée contre les troupes rivales – celles du Marais et celle de Molière, installée au Palais-Royal –, l'Hôtel de Bourgogne finit par obtenir le monopole de la tragédie. Pour survivre, le Théâtre du Marais, qui a jadis connu le triomphe du *Cid*, en est réduit à monter des pièces à machines, misant sur les effets spectaculaires pour attirer la foule des curieux. C'est à l'Hôtel de Bourgogne que les meilleurs comédiens du siècle font carrière. Curieusement, bien qu'ils soient encore largement méprisés – ils restent frappés d'excommunication par l'église –, ils exercent sur tous les esprits, même les plus cultivés, une très forte séduction. Au cours du siècle, on viendra admirer successivement Bellerose, Floridor qui, de 1647 à 1671, interprète tous les grands rôles de Corneille et de Racine, et Montfleury dont le jeu outré et la diction tonitruante enflamment le parterre. Cette emphase avec laquelle les comédiens déclament les vers des tragédies a été ridiculisée par Molière dans *L'Impromptu de Versailles* (1663). Mais elle est alors pratique courante et correspond à l'attente du public. C'est donc tout naturellement à l'Hôtel de Bourgogne que Racine fera représenter ses pièces à partir de 1665. Il y est servi par le talent de deux remarquables comédiennes : la Du Parc pour laquelle il écrit *Andromaque*, et après la mort de celle-ci en 1668, la Champmeslé qui sera adulée du public. Les atouts de cette tragédienne, selon le témoignage du fils de Racine, sont une puissance de voix extraordinaire et une déclamation *«enflée et chantante»*. Elle triomphera dans le rôle d'Iphigénie et interprètera avec brio celui de Phèdre en 1677. Racine, qui assure lui-même la mise en scène de ses pièces, dirige le jeu de ses principales interprètes mais, plus que tout, il se soucie de parfaire leur diction. Il leur fait répéter leur rôle, vers par vers, s'attachant à en souligner toutes les nuances, à en marquer le rythme, à en dégager la ligne mélodique.

La sobriété de la mise en scène et la simplicité du décor unique sont largement compensées par le luxe des costumes, taillés dans les plus belles étoffes : velours, taffetas, soie, brocart. On ne se soucie alors nullement de vérité historique. On joue en costumes d'époque ou en «habits à la romaine», à grand renfort de plumes, de perruques et de dentelles. Il faut imaginer Agamemnon, Ulysse et Achille dans des costumes aussi chamarrés que ceux portés par ces nobles qui avaient le privilège d'assister à la représentation, assis de chaque côté de la scène. Il n'y avait là rien de choquant pour le spectateur du XVIIe siècle qui faisait tout naturellement des rapprochements entre les héros de la mythologie et les plus hauts personnages de la cour.

LA CABALE D'IPHIGÉNIE

La vie théâtrale du XVIIe siècle, si éblouissante soit-elle, n'en est pas moins alimentée par de basses polémiques et de sombres rivalités qui visent à faire tomber un auteur, à déconsidérer ses protecteurs ou à éclipser la notoriété d'une troupe concurrente. On retrouve, en somme, projetées dans la vie littéraire de l'époque, toutes les intrigues qui empoisonnaient la vie de cour, avec ses clans et ses débats idéologiques. Malgré sa position mondaine enviable, Racine devra, tout au long de sa carrière, se défendre contre des cabales, des querelles perfides suscitées par des rivaux jaloux.

En mai 1675, alors que Racine est au sommet de sa gloire, la nouvelle troupe de l'Hôtel Guénégaud, constituée à la mort de Molière, en 1673, par la fusion de la Troupe du Marais et celle du Palais-Royal, entre en compétition avec l'Hôtel de Bourgogne, en opposant à l'*Iphigénie* de Racine celle de Le Clerc et Coras. La tentative de ces deux auteurs médiocres, soutenus par le duc de Richelieu farouchement hostile à Racine, ne manque pas d'audace. Ils reprochent à Racine d'avoir surchargé l'intrigue en donnant à Iphigénie une rivale, Ériphile. Bref, ils prétendent avoir mieux appliqué les principes raciniens de simplicité et d'unité préconisés dans la préface de *Bérénice* !

Racine prend ombrage de cette concurrence déloyale et tente

fermement de faire interdire la représentation de la pièce. Elle sera jouée malgré tout, mais ne dépassera pas les cinq représentations! La pièce est tombée d'elle-même et Racine a beau jeu d'en ridiculiser les auteurs dans de mordantes épigrammes.

L'INFLUENCE DU JANSÉNISME

L'œuvre de Racine et, plus largement, tout l'esprit du siècle de Louis XIV sont imprégnés par le jansénisme, forme austère du christianisme qui se réclame de la pensée de Saint-Augustin (354-430). C'est le couvent de Port-Royal des Champs, dans la vallée de Chevreuse, qui fut le foyer de propagande de cette doctrine théologique en butte à l'optimisme conciliant des jésuites. C'est là que Racine reçut sa formation intellectuelle, et bien qu'il eût officiellement rompu avec ses maîtres jansénistes (Arnauld, Nicole) pour se consacrer au théâtre, c'est à eux qu'il dut, en partie, cette sombre vision de l'existence qu'il exprima dans ses tragédies.

L'ouvrage de référence des jansénistes, celui qui suscita polémiques et persécutions jusqu'au début du XVIIIᵉ siècle, fut l'*Augustinus*. Dans ce livre posthume, paru en 1640, l'évêque d'Ypres, Jansénius, affirmait que l'homme, déchu depuis le péché originel, est impuissant à assurer son salut sans le secours divin. Abandonnée de Dieu, esclave de ses passions, la créature humaine est condamnée au mal, à l'ignorance et à la souffrance. Selon Pascal, qui défendit les positions les plus rigoristes de ce courant de pensée, l'homme ne peut plus s'épanouir dans l'amour de Dieu depuis qu'il s'est perdu dans l'amour infini qu'il se porte à lui-même : «*La nature de l'amour-propre et de ce moi humain est de n'aimer que soi. Mais que fera-t-il? Il ne saurait empêcher que cet objet qu'il aime ne soit plein de défauts et de misères : il veut être grand, et il se voit petit; il veut être heureux, et il se voit misérable; il veut être parfait, et il se voit plein d'imperfections; il veut être l'objet de l'amour et de l'estime des hommes, et il voit que ses défauts ne méritent que leur aversion et leur mépris*» (Pascal, *Pensées*, 100, éd. Brunschvicg).

Devant cette situation tragique, certains jansénistes – ceux qu'on appelle les «Solitaires» – préconisaient la rupture radicale avec le monde, la retraite dans la solitude pour se consacrer à Dieu et à la prière. Mais le seul véritable moyen d'échapper à cette déchéance, au monde de mensonges dans lequel l'homme s'est réfugié pour oublier la misère de sa condition, c'est de bénéficier de la grâce, don gratuit que Dieu, dans son infinie miséricorde, peut accorder aux hommes. Seulement, à la différence des jésuites qui considèrent que l'homme, par ses mérites et le libre usage de la volonté, peut obtenir son salut, les jansénistes, eux, soutiennent que la grâce n'est donnée qu'à quelques élus, choisis arbitrairement par Dieu. Cette théorie de la prédestination, selon laquelle Dieu peut refuser sa grâce même à des hommes méritants, fut vivement combattue par l'église et les autorités pontificales qui la jugeaient trop décourageante pour la créature humaine.

Ce dieu des jansénistes est bien à l'image de la divinité païenne que Racine présente dans *Iphigénie* : tout-puissant, à la fois présent et absent, impénétrable à l'esprit humain qui cherche désespérément à comprendre ses exigences cruelles, mais capable aussi de se révéler bienveillant en dépit des apparences trompeuses. Dieu se cache, un abîme infranchissable le sépare de l'homme, faible, désemparé, se débattant en vain contre l'emprise de ses passions et de cette volonté divine impitoyable.

Ainsi, cette morale du désespoir, sur laquelle débouche le jansénisme, amena les écrivains de la seconde moitié du siècle – Racine, Pascal, mais aussi Mme de Lafayette et La Rochefoucauld – à débusquer les faiblesses du cœur humain derrière la façade de la grandeur. Le plus bel exemple de cette entreprise de démolition est certainement Agamemnon. Vu par Racine, le légendaire roi des rois, symbole de gloire et de puissance, devient un être hésitant, ballotté au gré des événements, incapable d'assumer les exigences liées à la fonction royale.

Iphigénie marque un tournant décisif dans la carrière dramatique de Racine. À partir de 1674, en effet, celui-ci renouvelle ses sources d'inspiration. Libéré des contraintes imposées par sa longue rivalité avec Corneille, il délaisse les sujets historiques, empruntés essentiellement à la matière romaine (*Britannicus, Bérénice, Mithridate*), et revient en force à la mythologie grecque, avec laquelle il avait fait ses premiers essais (*La Thébaïde*) et remporté son premier triomphe (*Andromaque*). Il puise même au fonds légendaire le plus fertile qui soit, celui dont se sont nourries, pendant des siècles, l'épopée et la tragédie : le cycle des Atrides*, prolongé par la saga troyenne.

LES ATRIDES, UNE FAMILLE À SCANDALES

Une lourde hérédité pèse sur Agamemnon, le plus célèbre des Atrides. Tantale, son arrière-grand-père, fut le premier à déchaîner la tourmente de violence et de mort qui ne cessa de souffler sur cette famille maudite, amenée à souiller par des crimes atroces les liens les plus sacrés. Fils de Zeus et roi de Lydie en Asie Mineure, Tantale était parvenu au faîte de la réussite en accumulant richesses et considération. Les dieux mêmes l'invitaient à partager leurs festins. Or, non content de leur dérober nectar et ambroisie (mets divins pas excellence), pour en faire don aux simples mortels, il les mit à l'épreuve en leur servant en ragoût son propre fils, Pélops! Les dieux, horrifiés par cette sinistre cuisine, le condamnèrent à subir aux enfers le supplice éternel de la faim et de la soif.

Quant à Pélops (grand-père d'Agamemnon), miraculeusement ressuscité par les dieux, il finit par bannir et maudire deux de ses fils : Atrée* (père d'Agamemnon) et Thyeste*, coupables d'avoir tué, avec la complicité de leur mère Hippodamie, leur demi-frère Chrysippos. Les deux jeunes gens, réfugiés à Mycènes*, furent bientôt choisis – par le biais d'un oracle – pour succéder au dernier roi légitime de cette ville, mort sans successeur direct. Ce fut alors, entre Atrée et Thyeste, une lutte acharnée pour le pouvoir. Au terme d'une longue série de ruses et de trahisons (Thyeste était devenu l'amant de sa belle-sœur, Aéropé), Atrée décida de porter un coup décisif à son frère en tuant les trois fils qu'il avait eus d'une Naïade. Renouvelant alors l'horrible forfait de Tantale, il fit servir la chair de ces enfants – bouillie cette fois – à leur père, lors d'un banquet! Après le repas, il présenta à son frère les têtes et les bras sanglants de ses fils, puis il le bannit définitivement. Thyeste, dès lors, ne vécut plus que pour la vengeance. C'est son fils, Égisthe, qui l'accomplit : il tua d'abord Atrée, puis, bien des années plus tard, il assassina sauvagement le fils de celui-ci, Agamemnon, à son retour de la guerre de Troie•.

On saisit mieux, à la lumière de ce bref rappel, la portée des injures de Clytemnestre quand celle-ci, folle de rage contre Agamemnon, lui jette au visage sa funeste ascendance :

> *Oui, vous êtes le sang d'Atrée• et de Thyeste•.*
> *Bourreau de votre fille, il ne vous reste enfin*
> *Que d'en faire à sa mère un horrible festin.*
>
> Acte IV, scène IV (v. 1250 à 1252).

Peut-être y a-t-il aussi dans cette haine qui anime Clytemnestre à l'encontre de son époux, le souvenir d'un état ancien de la légende qui prétendait qu'elle fut mariée de force à Agamemnon, après que celui-ci eut tué son premier mari (un autre Tantale, fils de Thyeste) et son nouveau-né.

VERS LA GUERRE DE TROIE

Juste après le meurtre d'Atrée, Agamemnon et Ménélas• furent chassés de Mycènes•. Ils se réfugièrent à Sparte où ils épousèrent les deux filles du roi Tyndare•. Mais avant que Ménélas n'épousât Hélène•, Tyndare avait pris soin de lier par un serment les nombreux princes grecs qui s'étaient âprement disputé sa fille. Ainsi, les prétendants avaient-ils promis de respecter le choix d'Hélène et même de porter secours à son époux si quelque rival lui disputait sa femme. Pour finir, Ménélas, l'heureux élu, assit sa puissance en succédant à Tyndare sur le trône de Sparte•. Pendant ce temps, Agamemnon avait réussi à reprendre le pouvoir à Mycènes, grâce à l'appui d'une armée levée à Sparte. Mais bientôt eut lieu en Troade le fameux jugement de Pâris•. Celui-ci, fils du roi de Troie, Priam•, mit fin à la querelle qui opposait trois déesses en accordant le prix de beauté à Aphrodite. Vaincue alors par la volonté de la déesse de l'amour, Hélène se laissa séduire par Pâris qui était venu, tout resplendissant de luxe oriental, à la cour de Ménélas, et le suivit à Troie. Ménélas, fort du serment des prétendants, vint implorer l'aide de son frère, Agamemnon. Le puissant roi de Mycènes, grâce à son prestige – ou à une habile campagne de propagande –, réussit à lever une armée et à s'imposer comme chef de l'expédition. Les préparatifs de la guerre durèrent deux ans, le plus difficile ayant été de constituer une immense flotte, rassemblée dans la rade d'Aulis, en Béotie. Et c'est à la veille du départ tant attendu de toute l'armée achéenne vers la plus puissante cité d'Asie Mineure, que se situe l'épisode du sacrifice d'Iphigénie. Cet épisode, toutefois, ne figure pas dans la tradition homérique. L'*Iliade* mentionne seulement une certaine Iphianassa, restée au palais d'Agamemnon (Chant IX). Mais la légende d'Aulis, apparue pour la première fois dans une épopée plus tardive, *Les Chants Cypriens,* trouva son plein épanouissement avec les Tragiques grecs (ve s. av. J.-C.), qui y virent une source privilégiée de pathétique et d'effets dramatiques.

Pour justifier le terrible décret qui cloua l'armée grecque au port d'Aulis pendant trois mois interminables, deux motifs entrèrent en concurrence. On prétendit d'abord que, l'année de la naissance d'Iphigénie, Agamemnon avait imprudemment fait vœu d'offrir à Artémis ce que l'année lui produirait de plus beau. Puis, s'imposa l'idée qu'Agamemnon aurait offensé Artémis en tuant, dans un enclos consacré à la déesse chasseresse, un cerf à la ramure magnifique. Dans l'un et l'autre cas, Artémis réclamait, en réparation de la faute, le sang d'Iphigénie. Racine a délibérément laissé de côté cet aspect de la légende. Comme Iphigénie n'est pas, dans la version qu'il propose, la véritable victime désignée par les dieux, il ne lui était guère possible, en effet, de faire peser cette faute sur Agamemnon. On trouve aussi, dans la tradition antique, deux dénouements différents à ce tragique épisode. Alors qu'Eschyle (*Agamemnon,* v. 228-235) et Sophocle (*Électre,* v. 566-576) admirent qu'Iphigénie avait été réellement immolée à Aulis, Euripide popularisa la solution plus douce du salut de la jeune vierge, remplacée *in extremis* par une biche. Enfin, si la version retenue par les Tragiques fait bien d'Iphigénie la fille de Clytemnestre et d'Agamemnon, une autre tradition, défendue par Stésichore (poète lyrique du VIe s. av. J.-C.), assurait qu'elle était née des amours secrètes d'Hélène[•] et de Thésée[•], et que Clytemnestre l'aurait adoptée, l'élevant comme sa propre fille. Racine s'autorise d'ailleurs de cette variante pour créer de toutes pièces un double d'Iphigénie : Ériphile !

L'*IPHIGÉNIE À AULIS* D'EURIPIDE

Partisan de l'imitation des Anciens et brillant helléniste, Racine s'inspire directement de l'*Iphigénie à Aulis* d'Euripide, représentée à Athènes en 405 av. J.-C., un an après la mort de son auteur. Dans sa préface, il défend avec vigueur son devancier contre les attaques des Modernes, en le présentant comme un « *grand poète* », expert dans l'art d'« *exciter la compassion et la terreur, qui sont les véritables effets de la tragédie* ». Convaincu que les Anciens ont atteint la vérité psychologique humaine, Racine conserve la caractérisation des personnages fixée par Euripide. La superbe, l'arrogance d'Agamemnon, la fureur de Clytemnestre, l'impétuosité d'Achille, la tendresse d'Iphigénie sont bien les traits dominants à partir desquels il a façonné ses personnages. Mais il a su aussi, sans trahir l'esprit de son modèle, enrichir ces caractères de diverses nuances qui les rendent à la fois plus complexes et plus émouvants : la passion amoureuse chez Achille, la mauvaise conscience chez Agamemnon ou le mélange de fermeté et de douceur chez Iphigénie, par exemple.

Comme Euripide, Racine exploite à des fins poétiques le cadre grandiose de la légende. Chez les deux poètes, le rivage d'Aulis ne résonne plus que du cliquetis des armes depuis que la mer et les vents se sont tus, et c'est le même souffle divin qui déchaîne brutalement les éléments, une fois la déesse apaisée. Racine, toutefois soucieux d'adapter cette sanglante légende à la sensibilité délicate de son temps – à un public de cour surtout –, en atténue les aspérités par d'importantes modifications.

Le tableau qui suit fait apparaître la part considérable de création originale dans la façon dont Racine modernise un thème antique.

EURIPIDE	RACINE
Ménélas° réussit à intercepter le billet d'Agamemnon, qui intime l'ordre à Clytemnestre et à Iphigénie de rentrer à Argos°. Il s'ensuit une violente querelle entre les deux frères.	Le rôle – trop ingrat – de Ménélas a été supprimé. Il aurait été malséant de voir le mari de l'épouse infidèle réclamer le sacrifice de sa propre nièce ! C'est Ulysse qui endosse le rôle du meneur d'hommes : intriguant auprès de l'armée, il se fait le champion de la raison d'état.
Tandis qu'Agamemnon se résigne au meurtre, Ménélas revient sur sa décision. Il propose même de faire assassiner Calchas°.	Le dilemme d'Agamemnon, déchiré entre sa tendresse paternelle et ses ambitions politiques, est accentué : plaintes, dérobades, revirements. Il maintient aussi jusqu'au dénouement l'espoir d'un salut possible pour Iphigénie.
Achille n'est pas amoureux d'Iphigénie, aucun mariage n'a été conclu. Cependant, en homme d'honneur, il accepte de défendre Iphigénie. Il faillit même être lapidé par l'armée grecque.	À côté de l'intrigue politique se développe une intrigue amoureuse (les conventions théâtrales de l'époque l'exigeaient). Achille et Iphigénie s'aiment : leur mariage est conclu depuis longtemps, et leur amour est mis à l'épreuve par la jalousie d'Ériphile, captive d'Achille et protégée d'Iphigénie.

EURIPIDE	RACINE
Effrayée à l'idée de mourir, Iphigénie tente de fléchir son père par un vibrant plaidoyer. Puis, elle accepte héroïquement la mort : dans un accès de ferveur patriotique, elle se glorifie de sauver ainsi la Grèce du joug barbare.	L'acceptation du sacrifice par Iphigénie est amenée avec plus de naturel. Elle n'est plus le fruit d'un brusque revirement, mais l'aboutissement d'une lente évolution : générosité, soumission au père, refus de renoncer à Achille, dévouement à la patrie.
Un messager annonce le dénouement merveilleux : au moment où Calchas• s'apprêtait à frapper la victime, celle-ci a été remplacée par une biche. Artémis a enlevé Iphigénie au ciel.	La victime réclamée par les dieux n'est autre qu'Ériphile, fille d'Hélène• et de Thésée•. Elle se donne la mort. L'invention de ce personnage évite le sacrifice d'Iphigénie, jeune fille « vertueuse » (ce qui aurait été inacceptable en vertu du principe de bienséance) et dispense de tout recours au merveilleux (contraire au principe de vraisemblance).

Voici, après les invectives de Clytemnestre, la douce prière qu'Iphigénie adresse à son père :

> Si je pouvais, mon père, parler ainsi qu'Orphée,
> que ma voix pût persuader les rochers de me suivre,
> et attendrir les cœurs que je voudrais,
> je lui demanderais secours. Mais, tout mon art,
> ce sont mes larmes que je t'offre. Que puis-je d'autre ?
> Comme un rameau de suppliant, j'entoure tes genoux
> de ce corps que ma mère pour toi mit au monde.
> Ne me fais pas mourir avant mon heure. La lumière est si douce
> à regarder. Ne me force pas à me rendre au pays souterrain !
> Je fus la première à te dire « mon père », et que tu nommas ton
>   [enfant,
> la première à laisser aller mon corps sur tes genoux,
> à donner et à recevoir de toi le plaisir des caresses.
> Tu me disais alors : « Te verrai-je, ma fille,
> mener heureuse au foyer d'un mari
> une vie brillante et digne de moi ? »
> Et moi je répondais, suspendue à ton cou,
> à ce menton que touche à présent ma main suppliante :
> « Moi, te verrai-je alors, un vieillard, recevant

141

l'affectueux accueil de mon foyer, mon père ?
Te rendrai-je les soins dont tu as nourri mon enfance ? »
J'ai bien gardé le souvenir de ces paroles,
mais toi tu les as oubliées et tu veux me tuer.
Que cela ne soit pas ! J'en adjure Pélops, Atrée* ton père,
ma mère que voilà, qui dans les douleurs m'enfanta.
Quelle douleur la ressaisit en ce moment !
Qu'ai-je à voir aux amours d'Alexandre[1]
et d'Hélène* ? Pourquoi, parce qu'il vint à Sparte*, dois-je périr,
[*mon père ?*
Ah ! ne détourne pas tes yeux ! accorde-moi un regard, un baiser,
pour qu'en mourant j'emporte au moins de toi
ce souvenir, si ma prière échoue à te fléchir !

(Elle prend Oreste* dans ses bras.)

Mon frère, tu es bien petit pour secourir les tiens.
Joins cependant tes pleurs aux miens et demande à ton père
qu'il épargne la mort à ta sœur.
Les innocents eux-mêmes ont la prescience du malheur.
Vois, qu'a-t-il besoin de paroles ? Il t'implore, mon père.
Ah ! considère-moi, aie pitié de ma jeune vie,
par ton menton qu'ensemble nous touchons, nous tes deux bien-
[*aimés,*
lui, le petit oiseau, moi déjà une femme.
Un seul mot contiendra ma prière et vaincra. C'est le plus fort de
[*tous :*
le soleil que voilà, tout homme avec joie le regarde.
Sous terre est le néant. Bien fou celui de qui les vœux appellent
la mort. Vivre honteux vaut mieux que mourir avec gloire.

Euripide, *Iphigénie à Aulis* (v. 1211 à 1252),
trad. de Marie Delcourt-Curvers, Gallimard, 1962.

L'INFLUENCE D'HOMÈRE

Racine, en composant *Iphigénie,* s'est aussi souvenu de certains
passages d'Homère. C'est à l'auteur de l'*Iliade* et de l'*Odyssée*
qu'il emprunte notamment le personnage d'Ulysse, absent de
la tragédie d'Euripide. Et dans le violent affrontement qui
oppose Agamemnon à Achille, dans la scène 6 de l'acte IV, on
retrouve l'écho du premier chant de l'*Iliade,* quand Achille,
furieux contre Agamemnon qui menace de lui ravir sa captive
Briséis, déverse sa bile :

Ah ! cœur vêtu d'effronterie et qui ne sais songer qu'au gain !

---

1. *Alexandre* : autre nom de Pâris.

Comment veux-tu qu'un Achéen puisse obéir de bon cœur à tes ordres, qu'il doive aller en mission ou marcher à un franc combat ? Car, enfin, ce n'est pas à cause de ces Troyens belliqueux que je suis venu, moi, me battre ici. À moi, ils n'ont rien fait. Jamais ils n'ont ravi mes vaches ou mes cavales ; jamais ils n'ont saccagé les moissons de notre Phthie fertile et nourricière : il est entre nous trop de monts ombreux, et la mer sonore ! C'est toi, toi, l'effronté, que nous avons suivi, pour te plaire, pour vous obtenir aux frais des Troyens une récompense à vous, Ménélas* et toi, face de chien ! Et de cela tu n'as cure ni souci ! et tu viens, de ton chef, me menacer maintenant m'enlever ma part d'honneur, la part que j'ai gagnée au prix de tant de peines et que m'ont octroyée les fils des Achéens ! [...] Mais, cette fois, je repars pour la Phthie. Mieux vaut cent fois rentrer chez moi avec mes nefs recourbées. Je me vois mal restant ici, humilié, à t'amasser opulence et fortune !

(Agamemnon, protecteur de son peuple, répond :)

Eh ! fuis donc, si ton cœur en a telle envie. Ce n'est pas moi qui te supplie de rester ici pour me plaire. J'en ai bien d'autres prêts à me rendre hommage et, avant tous, le prudent Zeus. Tu es bien pour moi le plus odieux de tous les rois issus de Zeus. Ton plaisir toujours, c'est la querelle, la guerre et les combats. Pourtant, si tu es fort, ce n'est qu'au ciel que tu le dois... Va-t'en chez toi, avec tes nefs, tes camarades ; va régner sur tes Myrmidons : de toi je n'ai cure et me moque de ta rancune.

Iliade, Chant I, v. 149 à 181,
trad. de Paul Mazon, Gallimard, 1955.

L'*IPHIGÉNIE EN AULIDE* DE ROTROU

Racine s'inspire également, mais dans une proportion bien moindre, de l'*Iphigénie en Aulide* de Rotrou, publiée en 1642. Si cette pièce est imitée assez servilement d'Euripide, Racine n'en a pas moins profité de quelques timides innovations. Rotrou, en effet, amorce le motif des amours d'Achille et d'Iphigénie, mais de façon assez maladroite, puisqu'Achille, qui n'a jamais vu Iphigénie, en tombe tout de suite amoureux ! D'autre part, Rotrou, tout en conservant le rôle de Ménélas, introduit Ulysse dans le cours de l'action. Sa présence génère de multiples conflits, soit avec Agamemnon, soit avec Achille. Quant au dénouement, c'est l'exemple même de ce que Racine rejette au nom de la vraisemblance. Il est, en effet, assez spectaculaire dans la mesure où il fait apparaître Diane* sur scène. Juste avant cette théophanie, au moment où Calchas* prend le couteau, un grand coup de tonnerre retentit, et Iphigénie disparaît au ciel :

CALCHAS

>Mais dieux! quelle tempête en un moment émue,
>De ces plaines d'azur nous dérobe la vue?
>Quel horrible torrent, accompagné d'éclairs,
>Trouble avec tant de bruit la région des airs?

AGAMEMNON

>Déesse de la nuit, apaise ta colère;
>Si la fille est trop peu, demande encor le père.
>Mais, ô rare aventure! ô miracle inouï!
>Si d'une illusion mon œil n'est ébloui,
>Sans recevoir le coup et sans laisser la vie,
>Cette chaste victime à ces lieux est ravie.

CALCHAS

>Quel est cet accident? M'abusez-vous, mes yeux?

MÉNÉLAS

>Qui des deux nous la cache, ou la terre ou les cieux?

ACHILLE

>Quelle est cette aventure à nulle autre pareille?
>Et qu'es-tu devenue, adorable merveille?
>Mais quelle inopinée et soudaine clarté
>De ces épais buissons perce l'obscurité?

(Le ciel s'ouvre, Diane* apparaît dans un nuage; tous les personnages tombent à genoux.)

DIANE

>Généreuse race d'Atrée*
>Et vous autres cœurs de lions,
>Futurs destructeurs d'Ilion*,
>Mars de cette basse contrée,
>Allez faire admirer vos exploits glorieux,
>Et ravir la lumière au ravisseur d'Hélène*,
>Avec ma faveur vous détruirez sans petne
>La reine des cités et l'ouvrage des dieux.
>Je sais le respect de la Grèce;
>Son dessein me tient lieu d'effet,
>Et j'ai vu d'un œil satisfait
>La piété de sa princesse.
>Son sang de ma faveur est un trop digne prix,
>Et pour faire paraître à quel point je l'estime,

> Je la veux pour prêtresse et non pas pour victime,
> Et l'ai déjà rendue aux rives de Tauris.

Rotrou, *Iphigénie en Aulide*, acte V, scène 3.

L'*IPHIGÉNIE EN TAURIDE* D'EURIPIDE

Après l'épisode d'Aulis, la légende d'Iphigénie se poursuit en Tauride, sur les rives sauvages de la Mer Noire. Euripide, dans son *Iphigénie en Tauride* (414 av. J.-C.), rapporte qu'Iphigénie y fut transportée pour devenir la servante du culte d'Artémis. Gardienne d'un temple, elle avait pour tâche de sacrifier les étrangers grecs qui se présentaient sur ces bords. Mais elle réussit à s'enfuir avec son frère Oreste•, venu sur les conseils de l'oracle de Delphes chercher la statue d'Artémis pour la transporter à Athènes et y fonder le culte d'Artémis Tauropole, favorable aux nouveau-nés. De cette façon, Oreste expia définitivement le meurtre de sa mère, Clytemnestre, et ne fut plus poursuivi par les Érinyes vengeresses.

On ne trouve, bien sûr, aucune allusion à ces prolongements chez Racine : le dénouement original qu'il propose ne le permettait pas. On sait toutefois, par le témoignage de son fils, qu'avant d'opter pour l'épisode d'Aulis, où Iphigénie apparaît en «sacrifiée», Racine ébaucha le plan d'une tragédie consacrée à ce thème d'Iphigénie «sacrifiant».

Une des grandes qualités de la pièce de Racine par rapport à celles de ses devanciers, c'est d'avoir réussi, sur un sujet pourtant connu du public, à maintenir le suspense jusqu'au dénouement. Par un habile jeu de péripéties faisant alterner, pour le salut d'Iphigénie, espoir et crainte, le rythme de la tragédie s'accélère d'acte en acte : l'émotion culmine dans les dernières scènes où, à l'horreur extrême, succède une joie intense et inespérée.

ACTE I

Scène 1	Scène 2	Scène 3
2e revirement d'Agamemnon : il confie un message à Arcas, intimant l'ordre à Clytemnestre et à Iphigénie de retourner à Argos*, sous prétexte cette fois qu'Achille, amoureux d'Ériphile, ne veut plus épouser Iphigénie.	La tentative d'Agamemnon pour faire renoncer Ulysse et Achille à la guerre échoue.	Agamemnon croit berner Ulysse en lui promettant de consentir au sacrifice si Iphigénie parvient à Aulis.
	Hors scène : Arcas part à la rencontre de Clytemnestre, mais celle-ci s'égare dans les bois qui entourent le camp. Les soldats réservent un accueil triomphal à Iphigénie.	

ACTE II

Scène 1	Scène 2	Scène 3
Ériphile, amoureuse d'Achille, aspire à voir sa rivale, Iphigénie, accablée par le malheur.	Agamemnon, embarrassé, accueille froidement sa fille.	Iphigénie est, malgré elle, saisie d'un sombre pressentiment sur son sort.
Hors-scène : Agamemnon retrouve Clytemnestre et Iphigénie.		*Hors-scène :* Arcas s'acquitte, avec retard, de sa mission auprès de Clytemnestre.

146

Avant que le rideau ne se lève
Les dieux exigent qu'on sacrifie Iphigénie sur l'autel de Diane*. Agamemnon refuse d'abord, mais, sous la pression d'Ulysse, il se soumet (1er revirement). Il a envoyé Eurybate chercher Iphigénie à Argos*, sous prétexte de la marier à Achille.

Scène 4	Scène 5
Coup de théâtre : Eurybate annonce l'arrivée d'Iphigénie, de Clytemnestre et d'Ériphile dans le camp.	3e revirement : abattu par ce coup du sort, Agamemnon consent au sacrifice.

Scènes 4 à 6	Scènes 7 et 8
Coup de théâtre : Clytemnestre, qui vient de recevoir le second message d'Agamemnon, s'apprête à quitter le camp avec Iphigénie.	Ériphile, détrompée quant aux sentiments d'Achille à son égard, jure de se venger de cet affront.
	Entracte : Achille s'est expliqué avec Clytemnestre : celle-ci reste à Aulis.

ACTE III

Scène 1	Scènes 2 à 4
Agamemnon, décidé à sacrifier sa fille, fait croire à Clytemnestre que le mariage d'Achille et d'Iphigénie est tout proche.	Clytemnestre, Achille et Iphigénie sont tombés dans le piège : ils croient au mariage alors que la mort d'Iphigénie est imminente.
	Hors-scène : Brève entrevue entre Achille et Agamemnon. Le sacrifice se prépare. Agamemnon envoie Arcas chercher Iphigénie.

ACTE IV

Scène 1	Scènes 2 à 5	Scènes 6 et 7
Ériphile, folle de jalousie, projette de révéler l'oracle à l'armée tout entière.	Agamemnon est de nouveau en proie à un cruel dilemme : la prière d'Iphigénie et le réquisitoire de Clytemnestre l'incitent à renoncer au sacrifice.	Cependant, quand Achille vient l'accabler de reproches et d'injures, son amour-propre blessé le pousse à précipiter le sacrifice.
Hors-scène : Iphigénie, en défendant son père, irrite Clytemnestre.		

ACTE V

Scène 1	Scène 2	Scènes 3 et 4
Iphigénie est désespérée : le camp, alerté par Calchas*, l'a empêchée de fuir, et son père lui interdit d'épouser Achille.	Décidée à mourir, elle refuse l'aide qu'Achille est venu lui proposer.	Elle fait ses adieux à sa mère, puis se laisse conduire à l'autel du sacrifice. Clytemnestre, impuissante, est folle de douleur.
Hors-scène : Dans le camp, Achille a pris des dispositions pour protéger Iphigénie,	*Hors-scène :* Sous la pression de Calchas, l'armée réclame le sacrifice.	

Scène 5	Scènes 6 et 7
Coup de théâtre : Arcas, trahissant le secret d'Agamemnon, révèle toute la vérité. Clytemnestre cherche un moyen de sauver sa fille.	Achille fait pression sur Iphigénie pour qu'elle se défende contre son père. Il promet son aide à Clytemnestre. Iphigénie va tenter de fléchir son père.
	Hors-scène : Clytemnestre n'a pas réussi à rencontrer Agamemnon. L'autel est cerné de gardes.

Scènes 8 à 10	Scène 11
4e revirement d'Agamemnon : il cède à la tendresse paternelle. Il fait en sorte que sa fille quitte le camp en secret. Iphigénie, cependant, ne pourra pas épouser Achille.	Pour empêcher la fuite d'Iphigénie, Ériphile décide de prévenir Calchas*.
	Entracte : La trahison d'Ériphile. L'escorte d'Iphigénie cernée par l'armée

Scène 5	Scène 6
Le récit d'Arcas Coup de théâtre : l'armée est divisée en deux factions. Qui l'emportera : Calchas ou Achille ?	*Le récit d'Ulysse* Coup de théâtre : Ériphile (l'autre Iphigénie) s'est suicidée. Iphigénie a la vie sauve, Agamemnon consent à son mariage avec Achille.
Hors-scène : Les événements rapportés par Arcas	*Hors-scène :* Les événements rapportés par Ulysse.

149

IPHIGÉNIE OU LA DRAMATURGIE DE LA DÉRISION

La grande nouveauté d'*Iphigénie*, par rapport aux tragédies antérieures de Racine, tient à ce qu'elle fait intervenir les dieux dans le processus dramatique. Cette dimension religieuse, qui situe désormais le conflit tragique dans le rapport que l'homme entretient avec la divinité, on la retrouvera dans *Phèdre* (1677) et, plus largement encore, dans les deux tragédies sacrées de l'auteur, *Esther* (1689) et *Athalie* (1691).

Ce sont bien les dieux et non les hommes qui, en dépit des apparences, mènent le jeu dans *Iphigénie*. Toute l'action, en effet, est comprise entre deux temps forts : la révélation initiale, par le biais d'un oracle équivoque, de l'exigence monstrueuse des dieux (v. 57 à 62), et la révélation finale du vrai sens de l'oracle (v. 1746 à 1760) qui, dissipant tous les malentendus, résout la crise tragique. Et tout cela se passe hors de notre vue, pour mieux souligner la distance qui sépare le monde des dieux (l'intangible, l'absolu) de celui des hommes, réduit aux apparences, à l'imperfection et à l'illusoire. Comme dans la tragédie grecque où les héros, victimes de l'ambiguïté du langage oraculaire, sont pris dans un engrenage infernal, les hommes, dans *Iphigénie,* se sentent piégés par des dieux qu'ils croient hostiles à leurs intérêts. Seulement, et c'est là toute l'originalité de Racine, le schéma finit par s'inverser. Alors que dans la tragédie grecque, les hommes, en multipliant les efforts pour échapper à leur destin, finissent par le provoquer (cf. Œdipe), dans *Iphigénie,* les choses évoluent différemment : quand les hommes, en désespoir de cause, finissent par se soumettre aux exigences divines, les dieux se révèlent favorables à la victime initialement désignée, et ils châtient la coupable. Ainsi, le mystère dont ils enveloppent leurs actions n'est-il plus l'effet de la malédiction, mais celui de la bienveillance, de la providence. C'est certainement la volonté, chez Racine, d'adapter le mythe antique à la sensibilité religieuse de son époque, qui l'a amené à substituer, au cours de la tragédie, l'image d'une divinité chrétienne, redoutable mais juste, à celle d'une divinité païenne, injuste et cruelle. En somme, si les hommes souffrent, dans *Iphigénie,* c'est parce qu'ils sont incapables de se fier à des dieux qui, certes, se plaisent à les éprouver, mais qui se trouvent être aussi leur seule chance de salut. Il en résulte, dans les rapports que la créature entretient avec la divinité, une cruelle dissonance : jamais, en effet, les décisions des hommes ne sont en harmonie avec la volonté divine. Dans ce décalage qui commande l'ensemble du jeu dramatique, on peut voir, en dépit du dénouement heureux, un effet d'ironie tragique, de suprême dérision.

Entre les deux manifestations de la parole divine, la scène s'anime des traditionnels conflits humains. Mais les hommes, trompés par les dieux, s'agitent en vain. Toutes leurs initiatives apparaissent dérisoires : elles vont, la plupart du temps, à l'encontre de leurs intérêts. Jamais la dramaturgie racinienne n'a été aussi perverse que dans *Iphigénie,* où l'on voit bon nombre de personnages travailler à leur propre perte. Dès la première scène de la tragédie, le ton de la dérision est donné :

• **Agamemnon** nous est présenté simultanément comme le roi le plus puissant de la Grèce (v. 14 à 28) et comme le plus misérable des mortels (v. 10 à 12). Par la suite, tout ce qu'il entreprend pour sauver sa fille se retourne contre lui (I, 4 et 5), ou échoue lamentablement (V, 1) ;

• **Iphigénie** n'échappe pas, elle non plus, à cette cruelle ironie du sort. Elle se fait une joie de retrouver un père qu'elle adore, mais ce père, indigne de son affection, s'apprête à la sacrifier ! Et puis, en protégeant Ériphile, elle attise la jalousie, la haine d'une rivale qui va s'acharner à la perdre ;

• **Achille**, malgré sa volonté de ne pas s'en laisser imposer, se fait lui aussi prendre au piège. On se sert tout d'abord de son amour comme d'un appât pour amener sa fiancée à l'autel du sacrifice. Et il entre plus activement dans le mécanisme tragique quand, par son ardeur guerrière, il devient, involontairement, le complice de ceux qui veulent la mort d'Iphigénie (I, 2). Dans la suite de l'action, alors qu'Iphigénie pourrait être sauvée par le départ précipité de Clytemnestre, il aggrave la situation en voulant à tout prix hâter le mariage auquel il avait préalablement renoncé (v. 773) ;

• **Clytemnestre**, de son côté, a sa part de responsabilité dans le malheur qui frappe sa fille. Elle se précipite, en effet, à Aulis, trop contente de marier sa fille à Achille et de satisfaire, par la même occasion, ses ambitions personnelles ;

• mais c'est certainement sur **Ériphile** que se concrétise le mieux cette procédure de la dérision. Fille du péché, elle est condamnée à assumer le rôle de la victime. Tout en elle la prédispose à un destin tragique. Elle tombe amoureuse de celui qu'elle devrait haïr le plus. Elle s'obstine à consulter l'oracle de Calchas*, pour connaître un secret qui, elle le sait, la voue à la mort. Enfin, par sa noire trahison destinée à précipiter le sacrifice d'Iphigénie, elle accroît la haine des dieux à son égard et devient la principale responsable de sa propre mort.

Le mécanisme de l'ironie tragique est donc à l'œuvre d'un bout à l'autre de la pièce. Son utilisation systématique, sur le plan humain comme sur le plan divin, souligne l'impuissance des

151

hommes à réaliser leurs objectifs, mais, plus que tout, il dévoile la duplicité des dieux qui se jouent des passions des hommes pour mieux les piéger, avant de les perdre ou de les sauver, selon leurs secrètes volontés.

AU CŒUR DE LA TRAGÉDIE : AGAMEMNON ET IPHIGÉNIE

Ce qui compte au théâtre, plus que l'étude des caractères pris isolément, ce sont les rapports de force qui naissent de la confrontation des personnages. La scène est toujours le lieu où l'on s'affronte, verbalement mais violemment, sous forme de conflits avec les autres ou avec soi-même, dans un huis clos souvent réduit au cercle des intimes (la famille essentiellement). C'est d'après l'interaction de ces forces agissantes qu'il faut tenter de définir les sentiments, les attitudes et les comportements des personnages.

Des six personnages qui animent cette tragédie, deux se retrouvent au centre de tous les débats : Agamemnon et Iphigénie, le père et la fille.

Sur Agamemnon se concentrent tous les affrontements, tous les déchirements. Le roi des rois subit, en effet, les assauts de ses proches (la famille), de ses alliés (Achille, Ulysse...), de l'armée, de Calchas• et, bien sûr, des dieux. Les dieux sont peut-être ses adversaires les plus redoutables : ils l'assaillent dans sa conscience et jusque dans ses rêves (v. 83 à 88). Agamemnon est à la fois le Roi et le Père : c'est lui qu'il faut fléchir car de lui dépend le sacrifice ou le salut d'Iphigénie. On le somme de s'expliquer, on déploie des stratégies variées pour l'influencer et, même quand il est absent, c'est toujours lui que l'on cherche.

À ces pressions extérieures viennent s'ajouter les déchirements intérieurs du personnage. Car Agamemnon n'a rien d'un héros cornélien qui, après avoir douloureusement mais lucidement délibéré, s'en tient fidèlement à ses décisions. Le roi des rois, au contraire, hésite jusqu'au bout. Imprévisible, malléable, il réagit en fonction des influences qu'il subit. Aussi est-il plus souvent en situation d'agressé que d'agresseur. C'est un être faible, divisé, en proie au remords et à la souffrance, un héros tragique en somme. Le jeu des forces qui influent sur lui peut se schématiser de la façon suivante :

À PROPOS DE L'ŒUVRE

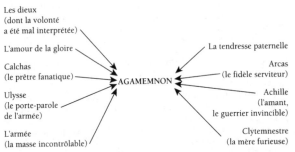

POUR LE SACRIFICE D'IPHIGÉNIE

POUR LE SALUT D'IPHIGÉNIE

Les dieux
(dont la volonté
a été mal interprétée)

L'amour de la gloire

Calchas
(le prêtre fanatique)

Ulysse
(le porte-parole
de l'armée)

L'armée
(la masse incontrôlable)

AGAMEMNON

La tendresse paternelle

Arcas
(le fidèle serviteur)

Achille
(l'amant,
le guerrier invincible)

Clytemnestre
(la mère furieuse)

Iphigénie se trouve naturellement au centre de tous les conflits, puisque sa vie est l'enjeu dramatique qui conditionne le bonheur d'une famille et l'avenir de tout un peuple. Cette toute jeune fille est une figure lumineuse, certainement l'être le plus pur et le plus généreux de tout le théâtre racinien. Selon Rohou : « *Iphigénie domine tout le monde, parce qu'elle est la plus humble, la plus soumise, la seule authentique – y compris dans la déclaration de son amour, sans coquetterie, ni pruderie, ni emportement, ce qui est assez rare à l'époque* » (Rohou, *L'Évolution du tragique racinien*). Effectivement, dans les scènes où elle apparaît, son innocence fait toujours ressortir la médiocrité, les défauts ou les excès des autres personnages. Jamais sa position de victime ne l'amène à prononcer des paroles inconsidérées ou à adopter dès conduites extrêmes. C'est elle, au contraire, qui absorbe tous les débordements. Elle modère, tempère et finalement trouve la solution la plus conforme aux valeurs qui régissent le monde dans lequel elle vit. Elle est ainsi la clé de voûte de tout un jeu de contrastes :
• face à la complexité et à la veulerie d'Agamemnon, tiraillé entre sa mauvaise conscience et sa hantise des autres, elle a la cohérence, le courage et la dignité d'une princesse consciente des devoirs que lui impose son rang. Alors qu'Agamemnon se laisse écraser par les événements, Iphigénie, par son dévouement, se rend plus forte que le destin. L'intensité de son amour filial souligne, par ailleurs, l'indignité d'un père devenu le bourreau de sa propre fille ;
• aux maladresses de son amant et de sa mère, Iphigénie sait toujours opposer une modération et une lucidité remarquables. Car Achille et Clytemnestre, bien qu'ils se présentent comme

les défenseurs les plus farouches d'Iphigénie, ont un même défaut : une impulsivité extrême qui peut avoir des résultats catastrophiques, contraires à leurs objectifs. La fureur de Clytemnestre irrite, en effet, Agamemnon, au même titre que la fougue et l'orgueil d'Achille. Iphigénie en est bien consciente, aussi s'emploie-t-elle à modérer les emportements de l'un et de l'autre ;

• le contraste qu'elle forme avec Ériphile est certainement le plus fort. Ériphile peut en effet se définir comme le double négatif d'Iphigénie :

– c'est une fille indigne (une bâtarde qui trahit les siens) ;
– une « *sœur ennemie* » (elle veut la mort de celle qui la protégeait comme une sœur) ;
– une amante maudite (sa « *folle amour* » n'est que jalousie et pulsions criminelles) ;
– un être haï des dieux (leur oracle la voue à la mort).

Il n'y a donc aucune conciliation possible entre le monde d'Iphigénie, régi par le respect et l'amour, et celui d'Ériphile, dominé par la haine et la démesure. Les deux jeunes filles s'opposent comme l'ombre et la lumière.

Le Sacrifice d'Iphigénie, gravure sur une amphore d'Apulie, British Museum.

154

AU XVIIe SIÈCLE

Dès sa première représentation à Versailles, devant la cour, *Iphigénie* remporta un immense succès. Une émotion sincère s'empara de tous les cœurs. Le contexte religieux et guerrier de l'époque (la France était alors engagée dans la guerre de Hollande) donnait une résonance particulièrement pathétique aux orientations essentielles de la tragédie : thème de l'enfant innocent sacrifié à l'intérêt collectif, drame déchirant d'un roi incapable de concilier bonheur personnel et ambition politique, étroite subordination enfin de l'individu à la toute-puissance divine.

Selon le témoignage de Robinet, journaliste contemporain de Racine, la pièce plut tout particulièrement au Roi :

> *L'auteur fut beaucoup applaudi...*
> *Et même notre auguste Sire*
> *L'en louangea fort, c'est tout dire.*

L'ami de Racine, Boileau, montre à quel point l'interprétation du rôle d'Iphigénie par la Champmeslé bouleversa les assistants :

> *Que tu sais bien, Racine, à l'aide d'un acteur,*
> *Émouvoir, étonner, ravir un spectateur !*
> *Jamais Iphigénie, en Aulide immolée,*
> *N'a coûté tant de pleurs à la Grèce assemblée,*
> *Que dans l'heureux spectacle à nos yeux étalés,*
> *En a fait sous son nom verser la Champmeslé.*

> Boileau, *Épître VII*, v. 3 à 8.

Au début de l'année 1675, quelques mois après ce triomphe, *Iphigénie*, montée à l'Hôtel de Bourgogne, fut soumise à l'appréciation du public de la ville. Le succès fut si bien confirmé que, fait unique à l'époque, la pièce eut droit à quarante représentations successives ! Et pour la première fois, les critiques furent moins virulentes. Certes, les théoriciens du théâtre reprochèrent à Racine bien des points :
• le fait que la colère des dieux ne soit pas justifiée ;
• l'invention du personnage d'Ériphile ;
• l'intrigue amoureuse entre Achille et Iphigénie ;
• la trop facile résignation de celle-ci au sacrifice ;
• le dénouement trop éloigné de la tradition.
Mais en dépit de toutes ces objections, on s'accorda à reconnaître l'immense talent poétique de Racine. Dans la *Gazette d'Amsterdam*, on put lire le meilleur compliment adressé à l'auteur dramatique désormais le plus en vue : *Iphigénie* y était présentée comme « *la plus belle pièce qui ait jamais paru sur le théâtre français* ».

En comparant *Iphigénie* à *Bérénice,* le fils de Racine donne peut-être la clé de ce succès foudroyant :

> *La Nature nous a donné une très grande sensibilité, afin que nous fussions compatissants aux malheurs de nos semblables. Cette étonnante sensibilité est cause que* Bérénice *nous fait pleurer : mais le succès d'*Iphigénie, *bien différent de celui de* Bérénice, *montre que nous aimons mieux compatir aux véritables douleurs de la Nature qu'aux puériles douleurs de l'Amour.*

AU XVIIIᵉ SIÈCLE

Il n'y a rien d'étonnant à ce que le succès d'*Iphigénie* se soit prolongé au XVIIIᵉ siècle. La plus pathétique des tragédies de Racine correspondait bien, en effet, au goût que les contemporains de Rousseau et de Diderot manifestaient par ailleurs pour les « *drames larmoyants* ». *Iphigénie* est donc, tout au long du siècle, la pièce de Racine la plus souvent représentée. Sa vogue est telle qu'elle est traduite en plusieurs langues et qu'elle inspire de nombreux opéras, ceux notamment de Scarlatti (1713), de Caldara (1718), de Gluck (1774) et de Chérubini (1788). En 1786, le plus célèbre des écrivains allemands, Gœthe, cède, à son tour, à cette fascination en composant une *Iphigénie en Tauride.* Poursuivant la voie tracée par Racine, il grandit l'image d'Iphigénie : la pure jeune fille, toute de générosité, d'amour exalté, est l'incarnation du Bien qui lutte pour triompher du Mal.

En France, deux auteurs également passionnés de théâtre, Voltaire et Diderot, disent leur admiration pour la façon dont Racine a su nuancer les caractères :

> *J'avoue que je regarde* Iphigénie *comme le chef-d'œuvre de la scène.* [...] *Veut-on de la grandeur ? on la trouve dans Achille, mais telle qu'il la faut au théâtre, nécessaire, passionnée, sans enflure, sans déclamation. Veut-on de la vraie politique ? tout le rôle d'Ulysse en est plein ; et c'est une politique parfaite, uniquement fondée sur l'amour du bien public ; elle est adroite ; elle est noble ; elle ne disserte point ; elle augmente la terreur. Clytemnestre est le modèle du grand pathétique ; Iphigénie, celui de la simplicité noble et intéressante ; Agamemnon est tel qu'il doit être. Et quel style ! c'est là le vrai sublime.*

> Voltaire, *Remarques sur Suréna.*

> *Je le crois bien, que Racine vous fait grand plaisir. C'est peut-être le plus grand poète qui ait jamais existé. Chère amie, gardez-vous bien d'attaquer le caractère d'Iphigénie. Sa résignation est un enthousiasme de quelques heures. Le caractère est poétique, et partant un peu plus grand que nature. Si le poète l'eût introduite*

À PROPOS DE L'ŒUVRE

dans un poème épique où cet épisode eût été de plusieurs jours,
vous l'auriez vue agitée de tous les mouvements que vous exigez.
Elle en éprouve bien quelques-uns, mais toujours tempérés par la
douceur, le respect, la soumission, l'obéissance. Toutes vos objec-
tions se réduisent à ceci : Iphigénie et moi sont deux. Le caractère
d'Iphigénie était facile à peindre ; celui d'Achille et celui d'Ulysse,
faciles ; celui de Clytemnestre, plus facile encore ; mais celui
d'Agamemnon, dont vous ne me dites rien, comment n'y avez-vous
pas pensé ? Un père immole sa fille par ambition, et il ne faut pas
qu'il soit odieux. Quel problème à résoudre ! Voyez tout ce que le
poète a fait pour cela. Agamemnon a appelé sa fille en Aulide.
Voilà la seule faute qu'il ait commise, et c'est avant que la pièce
commence. Il est agité de remords. Il se lève pendant la nuit. Il
veut l'empêcher d'arriver en Aulide. Il n'y réussit pas. Il se
désespère de son arrivée. Ce sont les dieux qui le trompent. Par qui
fait-on plaider auprès de lui la cause de sa fille ? par un amant
furieux qui la gâte par ses menaces ; par une mère furieuse qui
veut subjuguer son époux. On abandonne au milieu de cela ce
père irrité au plus adroit fripon de la Grèce. Cependant il est sur
le point de ravir sa fille au couteau, lorsque Ériphile dénonce sa
fuite aux Grecs et à Calchas *qui la demande à grands cris.*

Diderot, *Lettre à Sophie Volland*, 8 novembre 1760.

AU XIXe SIÈCLE

Au début du XIXe siècle, l'intérêt du public pour *Iphigénie* reste
encore très vif. La sensibilité romantique, même si elle rejette
la trop grande régularité des tragédies classiques, se satisfait du
spectacle des situations les plus désespérées, de la peinture des
passions poussées à l'extrême.

Dans *Le Génie du christianisme*, paru en 1802, François René
de Chateaubriand défend avec vigueur le personnage d'Iphigénie, tel que l'a créé Racine :

> *Le père Brumoy[1] a remarqué qu'Euripide, en donnant à Iphigénie*
> *la frayeur de la mort et le désir de se sauver, a mieux parlé selon*
> *la nature que Racine, dont l'Iphigénie semble trop résignée. L'ob-*
> *servation est bonne en soi ; mais ce que le père Brumoy n'a pas vu,*
> *c'est que l'Iphigénie moderne est la fille chrétienne. Son père et le*
> *Ciel ont parlé, il ne reste plus qu'à obéir. Racine n'a donné ce*
> *courage à son héroïne que par l'impulsion secrète d'une institu-*
> *tion religieuse qui a changé le fond des idées et de la morale. Ici le*
> *christianisme va plus loin que la nature, et par conséquent est plus*

---

1. *Le père Brumoy* : père jésuite du XVIIIe siècle.

*d'accord avec la belle poésie, qui agrandit les objets et aime un
peu l'exagération. La fille d'Agamemnon, étouffant sa passion et
l'amour de la vie, intéresse bien davantage qu'Iphigénie pleurant
son trépas. Ce ne sont pas toujours les choses purement naturelles
qui touchent : il est naturel de craindre la mort, et cependant une
victime qui se lamente sèche les pleurs qu'on versait pour elle. Le
cœur humain veut plus qu'il ne peut ; il veut surtout admirer : il
a en soi-même un élan vers une beauté inconnue, pour laquelle il
fut créé dans son origine.*

Chateaubriand, *Le Génie du christianisme,*
deuxième partie, livre II, chap. 8.

AU XXᵉ SIÈCLE

Au cours du xxᵉ siècle, les représentations d'*Iphigénie* à la
Comédie-Française se raréfient : on compte seulement six
nouvelles mises en scène depuis 1924, la dernière, il est vrai,
datant de 1991-1992. *Iphigénie* est désormais largement dépas-
sée par *Phèdre*, *Andromaque* et *Britannicus*. Le public moderne
serait-il moins sensible que celui des siècles passés à la dimension épique et religieuse de la pièce ? Évoluant dans une société
où l'individualisme l'emporte, peut-être se sent-il moins directement concerné par le thème du sacrifice, lié à la célébration
des vertus traditionnelles ?
En tout cas, la critique racinienne, si riche, si foisonnante au
xxᵉ siècle, continue à se passionner pour *Iphigénie*. Antoine
Adam loue les qualités stylistiques de la pièce :

> *Si l'esssentiel d'une œuvre poétique, c'est le style, Iphigénie est
> grecque. Le dialogue des tragédies de Racine avant Mithridate
> devait sa beauté à l'expression cruelle et nue de la passion.
> Mithridate, déjà, avait donné les signes d'une nouvelle manière,
> plus apaisée, plus sereine, où le sentiment s'épanchait en plaintes
> douces, en images harmonieuses. La transformation éclate dans
> Iphigénie, et elle s'appuie ouvertement sur la tragédie grecque.
> Comme chez Sophocle ou Euripide, il arrive chez Racine que
> l'acteur ne s'adresse plus à un partenaire, mais se tourne vers le
> public et déclame pour lui son rôle. Nous devrions dire plutôt
> qu'il le chante. Car le mot de déclamation supposerait que les vers
> d'Iphigénie sont de la rhétorique alors qu'ils sont tout chargés
> d'une beauté lyrique. Ce sont des plaintes qui s'épanchent, ou des
> colères. La plainte d'une jeune fille condamnée à mourir, d'un
> père réduit à immoler son enfant. Les colères et la douleur de
> Clytemnestre. Et ces lamentos pathétiques sont portés par un flot
> d'images nobles et belles : le rivage d'Aulis, la mer sous le soleil de
> la Grèce ; au loin la reine de l'Asie•, Troie•, assise sur sa colline et*

> qui, *après une résistance de dix ans, s'effondrera dans les flammes.*
>
> A. Adam, *Histoire de la littérature française au XVIIe siècle*, Domat-Del Duca, tome IV, 1954.

Philip Butler montre tout ce qu'*Iphigénie* doit à la tradition baroque et à l'influence de l'opéra :

> *Il y a même dans le miracle de Racine quelque chose de plus religieux que dans celui d'Euripide, et comme un frémissement de sympathie entre l'homme et ses Dieux, une communion ou une correspondance entre la nature et l'homme. Et en effet la poésie d'Iphigénie est par certains de ses aspects toute baroque. Elle sait animer la nature, associer aux passions de l'homme la mer et les vents, le soleil, le ciel et la terre, avec une puissance que Tristan ni Théophile n'ont jamais égalée. [...] Retour aux thèmes chevaleresques de l'art baroque, épurés, affinés, approfondis, au providentialisme et même au moralisme, lyrisme à résonances cosmiques et religieuses, drame triomphal à dénouement heureux, où le merveilleux tient dans l'économie de la pièce une place non négligeable, tous ces éléments suffisent à marquer dans l'art de Racine un tournant brusque. Et ce changement n'est pas sans rapport avec une nouvelle évolution du goût, qui se manifeste en particulier dans le succès de l'opéra. [...] Si riche et si profonde que soit la pièce de Racine en comparaison de la banalité mythologique de l'opéra, elle lui ressemble bien davantage que les tragédies qui précèdent, et l'on ne saurait oublier que c'est le plus grand succès de Racine. N'est-ce pas en partie grâce à cette ressemblance ou plutôt grâce à sa conformité avec le goût nouveau qu'elle touche et réussit ?*
>
> P. Butler, *Classicisme et Baroque dans l'œuvre de Racine*, Nizet, chapitre IX, 1959.

Charles Mauron interprète les rapports d'Achille et d'Agamemnon à la lumière de la psychanalyse :

> *Mais voyez l'Agamemnon de Racine. Il est entre moi et sur-moi, exécuteur, sur sa propre chair, d'un arrêt de mort qui lui est déjà étranger. Il cherche à se dissocier de la divinité obscure qui a prononcé la condamnation. Il accuse les dieux et décline toute responsabilité.*
>
> « Seigneur, de mes efforts je connais l'impuissance :
> Je cède et laisse aux dieux opprimer l'innocence. »
>> *(Acte I, scène V)*
>
> « J'ignore pour quel crime
> La colère des dieux demande une victime.
> [...] Ma fille, il faut céder. »
>> *(Acte IV, scène IV)*

Ces hésitations, ce rejet de la responsabilité sur autrui rap-
prochent d'ailleurs Agamemnon et Titus. Comme l'empereur
romain sacrifiait sa maîtresse, le chef des armées grecques sacrifie-
rait sa fille «malgré lui, malgré elle». Le parallèle pourrait se
poursuivre, car les deux victimes sont à demi consentantes, et les
deux bourreaux sont accusés de céder, non pas au devoir, mais à
une ambition narcissique. Cependant, pour en revenir à Agamem-
non, qu'est-ce donc qui le détermine enfin à choisir le meurtre?
C'est un sentiment de jalousie. À l'appui de cette affirmation, je
citerai deux faits. D'abord, à mesure que la tragédie se développe,
il devient de plus en plus clair qu'Agamemnon et Achille se
disputent Iphigénie. L'un allègue ses droits de père, l'autre, ses
droits d'époux virtuel. Sans doute les questions de prestige sont en
jeu, valables pour la conscience. Cependant – et c'est là mon
second fait – lorsqu'Agamemnon, vers la fin de la tragédie,
recherche un compromis qui satisfasse à la fois son prestige et sa
tendresse, il adopte cette curieuse solution: interdire le mariage,
punir Achille comme amant, et non pas comme révolté. Bref, tout
se passe comme si la rupture du jeune couple, la reprise et la
possession de la jeune fille, l'humiliation du rival lui apportaient
un apaisement suffisant. Ainsi, derrière la jalousie politique
d'Agamemnon, on entrevoit une jalousie amoureuse. Car le châti-
ment doit répondre au crime. Si le père punit Achille en lui
enlevant sa fille, c'est que le fils avait commis la faute de vouloir
ravir cette proie au père. Nous retrouvons le thème de Mithridate,
le motif du père et du fils révolté se disputant la même femme. Par
l'introduction du jeune couple, et de la jalousie parentale, le sujet
antique a été tordu pour exprimer aussi une obsession qui lui est
étrangère. C'est, naturellement, l'infanticide, qui sert de trait
commun. Le crime collectif, inexpliqué, que devait expier le
sacrifice de la vierge, devient très précisément le crime du fils
œdipien, l'offense au père à qui l'on veut ravir «sa» vierge.

Ch. Mauron, *L'Inconscient dans l'œuvre et la vie*
de Racine, rééd. José Corti, pp. 135-136, 1969.

Lucien Goldmann s'intéresse tout particulièrement au personnage d'Ériphile:

Mais à côté et contre cette cité de Dieu se dresse, impuissante sans
doute dans son essai de lui nuire, mais fière et se suffisant à
elle-même, la cité tragique de l'homme, le monde d'Ériphile.
Ériphile et Phèdre sont dans l'œuvre racinienne les deux figures
les plus rapprochées du héros de la tragédie antique. Opposée à la
communauté des autres – par cela elle reste moderne –, radicale-
ment seule, attachée à connaître une vérité qu'elle ignore encore,
mais qui la tuera, révoltée contre l'injustice des dieux, éprise de
pureté jusque dans la faute, transformant au moment suprême la

condamnation des dieux en suicide volontaire, telle est Ériphile qu'un abîme infranchissable sépare de tous ceux qui – abaissés au rang de marionnettes – vivent dans l'univers providentiel. [...] Elle se donne elle-même la mort pour éviter le sacrifice qui l'introduirait dans un univers qu'elle méprise. [...] Le sacrifice d'Ériphile aurait fait d'Iphigénie une pièce entièrement chrétienne (la victoire du bien sur le mal, de Dieu sur le diable), la pénétration d'Ériphile dans l'univers providentiel d'Iphigénie, une tragédie avec péripétie et reconnaissance, l'une et l'autre auraient réalisé l'unité de la pièce. Racine, cependant, a écrit autre chose, la pièce qui exprime la coexistence de deux mondes entièrement séparés et incommunicables, l'univers de la Providence où les dieux dirigent les destinées des marionnettes qui ne les comprennent pas et quelque part au loin, à l'arrière-plan – menaçant et sombre – l'univers du dieu caché et absent, l'univers de la passion et de la pureté, l'univers du paradoxe, de l'action tragique, lourde et sacrée, l'univers de l'homme et de la tragédie.
L. Goldmann, *Le Dieu caché*, Gallimard, pp. 411 à 415, 1956.

Roland Barthes souligne tout ce qui fait l'originalité de la pièce :

Il y a dans Iphigénie un singulier prosaïsme des rapports humains, parce que précisément ces rapports sont familiaux, au sens moderne du mot; prosaïsme d'expression, parfois, qui n'est pas sans rappeler le ton des bourgeoises querelles de la comédie moliéresque; mais surtout, et d'une façon continue, prosaïsme psychologique, car ce que l'on nomme en langage soutenu les assauts d'un personnage contre un autre, ce n'est rien moins que l'unité qui va animer pendant des siècles notre théâtre réaliste, et que l'on appelle, par une précieuse ambiguïté, la scène, ou, comme dit Giraudoux, «l'une de ces conflagrations hebdomadaires qui surgissent dans les familles familiales».
Or la famille n'est pas un milieu tragique; saisie comme groupe vivant, et l'on pourrait dire comme espèce, c'est-à-dire animée d'une vraie force expansive, elle ne peut faire de l'impossibilité de vivre une valeur et une fin. Il est vrai que lorsque la pièce commence, le problème posé à la conscience est proprement tragique : faut-il sacrifier Iphigénie ou non ? Cette alternative ne souffre, semble-t-il, aucune issue imprévue, aucune issue inventée : c'est oui ou c'est non. Or Racine (et c'est là le sens profond de l'œuvre, sa nouveauté, comme la préface le souligne), Racine donne à ce dilemme tragique une issue non tragique; et cette issue, c'est précisément le personnage tragique qui la lui fournit. Tuer Iphigénie ou ne pas la tuer, disait la tragédie. Et Racine répond : la tuer et en même temps ne pas la tuer, car immoler Ériphile,

c'est sauver la signification du meurtre sans cependant en assumer l'absolu.

R. Barthes, *Sur Racine,* Seuil, pp. 108-109, 1963.

Jean Rohou voit dans le personnage d'Agamemnon l'image déchue de la figure paternelle :

La destitution de la figure temporelle du Père se poursuit en proportion de l'ascension de sa figure spirituelle. La Loi enfin reconnue a trouvé son vrai visage : celui de la transcendance ; du coup, le Père selon la chair et la société sombre dans la médiocrité. Tout «roi des rois» qu'il est, ce n'est plus qu'un pauvre humain qui obéit «en pleurant» aux dieux qui le terrorisent. [...] Chef contesté – qui parle lui-même de «faible puissance» –, personnalité médiocre, toujours entre deux craintes (d'Achille, d'Ulysse, des dieux, de Calchas*, de sa femme), réduit aux piètres mensonges et aux «feintes raisons», Agamemnon incarne la douloureuse expérience des fausses grandeurs de ce monde.

L'essentiel c'est que cette fausse grandeur l'amène à trahir son rôle de père. Non seulement il sacrifie peut-être sa fille à sa «soif de régner», se faisant son «barbare bourreau», mais les dieux lui auraient-ils imposé cette épreuve s'il n'avait prétendu être souverain suprême? Faux Abraham, il ne leur obéit pas par piété mais par peur et dans l'espoir que son ambition en sera récompensée.

J. Rohou, *L'Évolution du tragique racinien,*
Sedes, pp. 249-250, 1991.

Fac-similé des dernières volontés de Racine, lettre datée du 10 octobre 1698 (B.N.).

LA VIE DE COUR

La dramaturgie racinienne s'élabore à un moment où, après les désordres de la Fronde (1648-1652), l'absolutisme monarchique affermit son emprise sur les nobles. Certes, Louis XIV flatte l'amour-propre des gens de qualité en leur concédant des charges militaires et de hautes dignités ecclésiastiques, mais, en même temps, il les humilie en mettant aux postes-clés de simples roturiers comme Colbert, Le Tellier ou Louvois. Dans cet état bourgeois qui se dessine, le talent et le mérite personnel tendent à supplanter le prestige lié à la naissance. C'en est désormais fini des prétentions à l'héroïsme, des coups d'éclat par lesquels s'illustraient les grands seigneurs du temps de Louis XIII. Les volontés sont bridées dans un même assujettissement. Ministres et chefs d'armée font office d'exécutants, et tous les aristocrates qui fréquentent la cour se voient réduits à un rôle de figuration, savamment orchestré par le roi. Le sens de l'honneur, la vaillance et la générosité, qui étaient jusqu'au milieu du siècle le privilège des «âmes bien nées», font place, chez le courtisan occupé à encenser la personne royale, aux flatteries, aux basses intrigues, aux haines et aux jalousies les plus féroces. Cette vacuité est subtilement masquée par les belles manières, par la galanterie amoureuse, par les raffinements précieux du langage, constitutifs d'un art du paraître. Au mieux, on s'applique, par le respect des bienséances et la pratique des vertus de modération, de discrétion et de mesure en toutes choses, à incarner l'idéal de l'honnête homme qui, selon la formule de La Rochefoucauld, « ne se pique de rien ». Racine, qui a vécu dans l'entourage du roi pendant de longues années, a pu observer les comportements de cette noblesse de cour, de ces mondains tout infatués d'une fausse grandeur aristocratique, désormais plus occupés à plaire qu'à remporter des batailles. Les sujets de ses tragédies comme ses personnages, bien qu'ils ne présentent apparemment aucun lien avec l'actualité, reflètent pourtant ces tensions qui déchiraient alors les consciences, déstabilisées par la déroute des valeurs chevaleresques. Puisqu'il n'y a plus d'idéal exaltant dans lequel on puisse se projeter, il s'agit, pour Racine, de peindre l'homme tel qu'il est, débarrassé de ses apparences trompeuses, jetant un regard lucide sur lui-même et sur les autres. On sent poindre ainsi, dans les relations humaines qu'il décrit, une cruauté latente, une émergence des instincts égoïstes et destructeurs. C'est ce qui fait que souvent, chez Racine, le conflit tragique exprime, dans les rapports que l'homme entretient avec le monde, avec Dieu et avec lui-même, un profond désaccord.

LE GOÛT DES FÊTES

Ce désenchantement cadre apparemment mal avec l'idée que l'on garde des jeunes années du règne de Louis XIV, pendant lesquelles la cour, encore nomade, se déplace, au gré des caprices du roi, d'un château à l'autre et se laisse envoûter par des spectacles grandioses dus à la magnificence royale. En réalité, Louis XIV s'applique à divertir sa cour dans la seule intention à la fois d'imposer le culte de sa personne et de retenir les grands dans son entourage. Dans ces fêtes étourdissantes qui jalonnent les années les plus gaies de son règne, la monarchie se donne en représentation. On y admire le goût du roi pour le beau, les arts, la musique, la danse, le tout admirablement servi par le talent de ses collaborateurs (Molière, Lulli, Vigarani). Dans des décors éphémères, ingénieusement agencés et brillant de mille feux, se succèdent ballets, festins, tournois, concerts, représentations dramatiques et feux d'artifice. Ainsi, dès 1662, le grand Carrousel célèbre avec faste le début du règne personnel de Louis XIV. Quinze mille personnes de qualité, venues de toute l'Europe et formant cortège entre le Louvre et les Tuileries, admirent le roi de France, étincelant de pierreries. Deux ans plus tard, la cour gardera un souvenir inoubliable des Plaisirs de l'«île enchantée», fête versaillaise par laquelle le roi honore sa brillante maîtresse, Mlle de La Vallière. Molière y est à l'honneur. Non seulement on le voit apparaître, costumé en dieu Pan, au sommet d'une machine roulante, pour adresser un compliment à la reine, mais il fait jouer, successivement, quatre comédies : *La Princesse d'Élide*, *Les Fâcheux*, *Tartuffe* et *Le Mariage forcé*. En 1668, pour fêter la paix d'Aix-la-Chapelle, et pour plaire à Mme de Montespan, sa nouvelle conquête, le roi offre à Versailles une folle journée de réjouissances. Puis, en 1674, les «nouveaux divertissements de Versailles» célèbrent la conquête de la Franche-Comté. À l'occasion de ces six jours de fêtes répartis sur plus d'un mois, les invités de Sa Majesté se promènent, le soir, en gondoles, au son des violons et à la lumière des flambeaux, sur le grand canal récemment aménagé. Pendant la journée, des spectacles de choix leur sont proposés : un opéra (*Alceste* de Quinault et Lulli), une comédie (*Le Malade imaginaire* de Molière) et une tragédie (*Iphigénie*). La pièce de Racine, précédée d'une collation géante et suivie d'un feu d'artifice, est jouée le 18 août dans un décor magnifique conçu par Vigarani. Félibien, alors historiographe du roi, nous en a laissé la description :

« Le Roi, étant remonté dans sa calèche, s'en alla, suivi de toute sa cour, au bout de l'allée qui va dans l'Orangerie, où l'on avait

dressé un théâtre. Il représentait une longue allée de verdure, où de part et d'autre il y avait des bassins de fontaines, et d'espace en espace des grottes d'un ouvrage rustique, mais travaillé très délicatement. Sur leur entablement régnait une balustrade, où étaient arrangés des vases de porcelaine pleins de fleurs. Les bassins des fontaines étaient de marbre blanc, soutenus par des tritons dorés, et dans ces bassins on en voyait d'autres plus élevés, qui portaient de grandes statues d'or. Cette allée se terminait dans le fond du théâtre par des tentes qui avaient rapport à celles qui couvraient l'orchestre; et au-delà apparaissait une longue allée qui était l'allée même de l'Orangerie, bordée des deux côtés de grands orangers et de grenadiers, entremêlés de plusieurs vases de porcelaine remplis de diverses fleurs. Entre chaque arbre il y avait de grands candélabres et des guéridons d'or et d'argent qui portaient des girandoles de cristal allumées de plusieurs bougies. Cette allée finissait par un portique de marbre. Les pilastres qui en soutenaient la corniche étaient de lapis, et la porte paraissait toute d'orfèvrerie.»

Le spectateur moderne, habitué à des mises en scène dépouillées, surtout quand il s'agit de représenter l'antiquité, serait quelque peu dérouté par ce décor féerique, où se déploie le faste versaillais!

LA VOGUE DE L'OPÉRA

Au moment où Racine crée Iphigénie, la tragédie est concurrencée par la vogue grandissante de l'opéra. Depuis 1672, Lulli a été nommé à l'Académie royale de musique et, en collaboration avec le librettiste Quinault, il fait représenter plusieurs opéras qui remportent un vif succès auprès du roi et de la cour (Les Fêtes de l'Amour et de Bacchus en 1672, Cadmus et Hermione en 1673). Bientôt, toutes les classes de la société partagent cette passion. On accourt au Palais-Royal pour admirer ces spectacles qui font la part belle à la musique et à la danse. Les yeux se laissent éblouir par les mises en scène originales conçues à partir d'une machinerie sophistiquée. Et on retrouve avec bonheur tout ce qui a été évacué progressivement de la tragédie : la mythologie la plus fantaisiste, le sensationnel, les apparitions de divinités sur scène, les décors variés, les actions multiples. Et puis, surtout, on se laisse charmer par la musique, par ces grands airs que les spectateurs apprennent par cœur, et qui font de l'opéra un spectacle total, un enchantement pour les sens. Saint-Évremond s'inquiète de ces succès : «Ce qui me fâche le plus dans l'entêtement où l'on est pour l'opéra, c'est qu'il va ruiner la tragédie.» Et il s'acharne à défendre la tragédie, genre noble par excellence, puisqu'il allie à de beaux sujets *« de nobles sentiments exprimés en des vers majestueux »*.

Certains critiques pensent que c'est, en partie, pour rivaliser avec l'opéra que Racine aurait écrit *Iphigénie*. Effectivement, lors des fêtes données à Versailles, sa tragédie avait été précédée d'un opéra de Lulli, *Alceste,* très librement adapté de la pièce d'Euripide. Racine aurait peut-être voulu montrer aux créateurs d'opéras, trop enclins à dénaturer les légendes antiques, comment il fallait traiter un sujet mythologique, en respectant à la fois le goût classique et l'esprit de la tragédie grecque. La fougue avec laquelle il défend, dans sa préface, l'*Alceste* d'Euripide contre les attaques des Modernes (partisans de l'opéra) renforce cette hypothèse.

LA GUERRE DE HOLLANDE

Un autre motif a pu pousser Racine à traiter, en 1674, un sujet tout imprégné de grandeur militaire, qui fait apparaître au premier plan les rivalités entre chefs d'armée et les sacrifices exigés par la raison d'état. C'est le fait que, depuis le mois d'avril 1672, la France est entrée en conflit armé avec les Provinces-Unies. Car, si le roi a le goût du faste, il a aussi la passion de la gloire, qu'il satisfait par d'audacieuses guerres de conquêtes.

Plusieurs raisons ont incité Louis XIV à s'attaquer à la Hollande : la concurrence économique contre une puissance maritime redoutable, l'affaiblissement politique d'une république partagée entre partisans de Jean de Witt et partisans de Guillaume d'Orange, et puis la haine tenace que la France catholique nourrit à l'égard d'un pays réformé, bastion des calvinistes. En 1672, la France, soutenue par l'Angleterre et assurée de la neutralité de la Suède, se sent en position de supériorité. Forte d'une armée de 120 000 hommes, elle remporte une série de victoires. Le 12 juin, Louis XIV fait franchir triomphalement le Rhin aux armées françaises qui, en vingt-deux jours, s'emparent de quarante villes ! Seulement Turenne, alors maréchal de France, et Louvois, secrétaire d'État à la Guerre, hésitent à marcher sur Amsterdam ; et le 20 juin, pour stopper l'avancée française, les hollandais inondent une partie de leur pays en crevant les digues de Muyden. S'engagent alors de longues tractations diplomatiques mais, devant les exigences inconsidérées de Louis XIV, les hollandais renoncent à la paix, et la guerre se durcit. Entre-temps, Guillaume d'Orange a obtenu le commandement suprême des provinces hollandaises. Il n'a que vingt-deux ans, mais un désir effréné de revanche nationale l'anime, et il est soutenu par plusieurs princes d'Europe, regroupés en une coalition antifrançaise. L'année 1673 est donc une année difficile pour la France. Le principal succès de Louis XIV est la prise de Maëstricht. Pour financer une guerre qui s'avère plus difficile que prévu, Colbert s'ingénie à lever de nouveaux impôts. Heureusement, au printemps 1674, Louis XIV, secondé par Vauban et Louvois, s'empare de la Franche-Comté, région frontière alors sous domination espagnole. Le 11 août, Condé repousse les ennemis (hollandais, espagnols et impériaux coalisés) à Seneffe, pendant que Turenne ravage le Palatinat et chasse les impériaux d'Alsace. C'est l'ensemble de ces succès que l'on fête en grande pompe à Versailles, en août 1674. La cour, qui a suivi de près les événements, célèbre à l'envi son roi, couvert de gloire par ses heureuses initiatives, son courage et ses talents stratégiques.

Seulement, la guerre est loin d'être finie. En 1675, l'armée française est affaiblie par la mort de Turenne et par des révoltes à l'intérieur du royaume. Louis XIV doit recourir à des répressions sanglantes avant de retourner ses troupes contre les armées coalisées. Et il faudra encore trois ans pour venir à bout de ce conflit. Par la paix de Nimègue, signée en 1678, la France s'agrandit de la Franche-Comté, de l'Artois, du pays de Cambrai, d'une partie de la Flandre et du Hainaut. Louis le Grand, devenu l'arbitre de l'Europe, atteint alors l'apogée politique et militaire de son règne.

SACRIFICE HUMAIN ET SACRIFICE ANIMAL

Le mythe d'Iphigénie pose le problème du sacrifice humain. Ce rite sanglant, que nos esprits modernes ne peuvent envisager sans une certaine répugnance, fut pendant longtemps un élément essentiel de la vie religieuse primitive dans les pays du bassin méditerranéen. La légende d'Aulis perpétue, en effet, le souvenir d'une époque archaïque où les hommes, pour assurer l'équilibre et la survie de leur communauté, immolaient aux dieux des victimes humaines. À l'époque d'Euripide (ve s. av. J.-C.), il ne subsistait en Grèce qu'une forme très particulière de sacrifice humain : certaines villes entretenaient à leurs frais des prisonniers de guerre ou des esclaves (des êtres exclus de toute vie civique) pour les sacrifier, quand des calamités mettaient la cité en péril. Mais il s'agissait là de pratiques exceptionnelles car, depuis longtemps déjà, les sacrifices d'animaux avaient été substitués aux sacrifices humains. La légende d'Iphigénie, avec ses variantes quant à son dénouement (sacrifice de la jeune fille ou sacrifice d'une biche), témoigne d'ailleurs de cette substitution, survenue à une époque certainement bien antérieure aux temps homériques, puisque l'*Iliade* et l'*Odyssée* n'y font pratiquement plus allusion (lors des funérailles de Patrocle, on voit certes Achille égorger douze troyens sur le bûcher funèbre de son ami, mais c'est plutôt à titre de représailles). Au fond, il ne semble pas qu'il y ait de différence majeure entre le sacrifice animal et le sacrifice humain. L'un et l'autre présentent la même particularité : la destruction totale – avec effusion de sang – de la victime offerte aux dieux. Ils se déroulent aussi selon un même rituel religieux (à ceci près cependant que la victime humaine, en raison des tabous touchant l'anthropophagie, ne fait pas l'objet d'un repas sacrificiel), et remplissent, surtout, la même fonction sociale.

FONCTION DU SACRIFICE

Par le sacrifice, s'opère la communion entre les hommes et le divin. La victime joue donc, avant tout, un rôle d'intermédiaire : elle est chargée de mettre en contact ce qui, d'ordinaire, est séparé : le sacré et le profane. Le mot même de sacrifice, formé à partir d'une expression latine signifiant «rendre sacré», impose l'idée d'une consécration. Lors de la cérémonie sacrificielle, la victime subit une transformation : elle passe du monde profane au monde religieux (sans toutefois s'identifier totalement avec la divinité) et, par une sorte de rayonnement, les forces religieuses concentrées en elle se propagent au sacrifiant et, plus largement, à tous les assistants. L'espace sacrificiel peut donc se définir comme un espace magique, où circulent des énergies religieuses très fortes, qu'il importe de bien maîtriser par l'observance de rites fort stricts, jalonnant l'ensemble de la cérémonie. Purification préalable, choix et préparation de la victime libations, formules et gestes rituels sont des étapes essentielles, destinées à sanctifier à la fois le lieu, les instruments et les agents du sacrifice. C'est aussi ce qui fait de la mise à mort de la victime un acte religieux à l'efficacité unanimement reconnue, et non un meurtre abominable et condamnable en tous points.

Mais la question essentielle qui se pose, c'est de savoir dans quel but les hommes pouvaient éprouver le besoin d'entrer en contact avec le divin, et d'une façon aussi violente. Certains spécialistes voient ainsi dans le sacrifice un don intéressé que les hommes adressaient aux puissances invisibles, pour se purifier de leurs maux (sacrifice expiatoire) ou bien se concilier les faveurs divines, notamment quand ils se lançaient dans de grandes entreprises (sacrifice propitiatoire). Cette notion d'échange de dons, de «contrat», a été mise en lumière par Marcel Mauss :

> Dans tout sacrifice, il y a un acte d'abnégation, puisque le sacrifiant se prive et donne. Même cette abnégation lui est souvent imposée comme un devoir. Car le sacrifice n'est pas toujours facultatif; les dieux l'exigent. On leur doit le culte, le service, comme dit le rituel hébreu; on leur doit leur part, comme disent les Hindous. – Mais cette abnégation et cette soumission ne sont pas sans un retour égoïste. Si le sacrifiant donne quelque chose de soi, il ne se donne pas; il se réserve prudemment. C'est que, s'il donne, c'est en partie pour recevoir. – Le sacrifice se présente donc sous un double aspect. C'est un acte utile et c'est une obligation. Le désintéressement s'y mêle à l'intérêt. Voilà pourquoi il a été si souvent conçu sous la forme d'un contrat. Au fond, il n'y a peut-être pas de sacrifice qui n'ait quelque chose de contractuel. Les deux parties en présence échangent leurs services et chacune y trouve son compte. Car les dieux, eux aussi, ont besoin des profanes. Si rien n'était réservé de la moisson, le dieu du blé mourrait; pour que Dionysos puisse renaître, il faut que, aux vendanges, le bouc de Dionysos soit sacrifié... Pour que le «sacré» subsiste, il faut qu'on lui fasse sa part, et c'est sur la part des profanes que se fait ce prélèvement. Cette ambiguïté est inhérente à la nature même du sacrifice. Elle tient, en effet, à la présence de l'intermédiaire, et nous savons que, sans intermédiaire, il n'y a pas de sacrifice. Parce que la victime est distincte du sacrifiant et du dieu, elle les sépare tout en les unissant; ils se rapprochent, mais sans se livrer tout entiers l'un à l'autre.

Marcel Mauss, *Les Fonctions sociales du sacré,*
éd. de Minuit, tome I, pp. 304-305, 1968.

Cette analyse fait bien ressortir l'ambivalence du sacrifice. C'est à la fois un acte de soumission aux divinités toutes-puissantes, une privation, une souffrance que l'homme s'inflige pour se racheter, et un acte qui engage les dieux, par un phénomène de compensation, à récompenser les hommes de façon très concrète.

Dans un essai plus récent, *La Violence et le Sacré*, René Girard a cherché à approfondir cette notion de sacrifice. Selon lui, le sacrifice aurait eu pour fonction d'empêcher la propagation de la violence, de cette violence inhérente à la nature humaine, mais qui, dans le cadre de sociétés primitives ignorant toute forme de système judiciaire, risquait de compromettre la cohésion et même l'existence de la collectivité. Ainsi toutes les tensions internes, toutes les rancunes, tous les ferments propres à engendrer la violence meurtrière et risquant de déclencher le cercle vicieux de la vengeance privée, se trouvaient reportés collectivement sur une victime émissaire, sacrifiée à titre exemplaire et préventif. Dans le sang versé sur l'autel du sacrifice, les différents membres de la communauté se déchargeaient de toutes leurs tendances agressives, ils communiaient dans un acte de violence institutionnalisée et, au bout du compte, ils retrouvaient les principes vitaux nécessaires à la coexistence harmonieuse du groupe :

> Un peu de violence réelle persiste dans le rite ; il faut, certes, que le sacrifice fascine un peu pour qu'il conserve son efficacité, mais il est essentiellement orienté vers l'ordre et la paix. Même les rites les plus violents visent réellement à chasser la violence. On se trompe radicalement quand on voit en eux ce qu'il y a de plus morbide et de pathologique dans l'homme.
>
> Le rite est violent, certes, mais il est toujours violence moindre qui fait rempart contre une violence pire ; il cherche toujours à renouer avec la plus grande paix que connaisse la communauté, celle qui, après le meurtre, résulte de l'unanimité autour de la victime émissaire. Dissiper les miasmes maléfiques qui s'accumulent toujours dans la communauté et retrouver la fraîcheur des origines ne font qu'une seule et même chose. Que l'ordre règne ou qu'il soit déjà troublé, c'est toujours au même modèle qu'il convient de se rapporter, c'est toujours le même schéma qu'il importe de répéter, celui de toute crise victorieusement surmontée, la violence unanime contre la victime émissaire. [...]
>
> La victime émissaire meurt, semble-t-il, pour que la communauté, menacée tout entière de mourir avec elle, renaisse à la fécondité d'un ordre culturel nouveau ou renouvelé. Après avoir semé partout des germes de mort, le dieu, l'ancêtre ou le héros mythique, en mourant eux-mêmes ou en faisant mourir la victime

choisie par eux, apportent aux hommes une nouvelle vie. Comment s'étonner si la mort, en dernière analyse, est perçue comme sœur aînée, sinon même comme source et mère de toute vie?

René Girard, *La Violence et le Sacré*, Grasset, pp. 148-149 et 353-354, 1972.

IPHIGÉNIE ET ÉRIPHILE, DEUX VIERGES SACRIFIABLES

Les modifications apportées au dénouement de la légende rendent plus complexe l'interprétation du sacrifice dans la tragédie de Racine. On passe, en effet, du sacrifice de la victime innocente, sans « tache » (Iphigénie est moralement irréprochable) et d'un grand prix (elle est de sang• royal), au sacrifice de la victime coupable, entachée de toutes sortes de maux et exclue socialement (Ériphile est une bâtarde, une esclave de guerre). D'autre part, le sacrifice revêt à la fois le caractère d'un sacrifice propitiatoire (obtenir des vents favorables à la navigation et s'assurer la victoire sur les Troyens) et d'un sacrifice expiatoire (payer pour le sang qui sera versé lors de la guerre et éliminer l'être impur – Ériphile – qui a amené le désordre dans la communauté). Mais le sacrifice d'Ériphile, même s'il prend la forme un peu particulière d'un suicide, a bien pour effet de pacifier les esprits, d'affermir l'autorité du chef de l'expédition et de souder plus étroitement les soldats, avant qu'ils ne s'engagent dans une aventure hasardeuse, où le sort de la nation est en jeu. Ressenti unanimement comme un acte juste et sain, le sacrifice d'Ériphile apporte une caution religieuse à une entreprise jusque-là sans précédent : la guerre de Troie•. Mais, même avec ce dénouement original, il n'était guère possible à Racine d'aborder le thème du sacrifice dans une optique purement païenne. Si le sacrifice animal était une pratique suffisamment familière aux contemporains d'Euripide pour leur rendre compréhensible – et supportable – l'idée de l'immolation d'une jeune vierge à une divinité avide de sang, il n'en allait pas de même pour le public de Racine. La sensibilité chrétienne de la plupart des Français du XVIIe siècle ne pouvait, en effet, s'accommoder que d'une vision intériorisée du sacrifice. Certes, la tragédie de Racine contient de nombreux éléments susceptibles de rappeler à l'esprit du spectateur tout ce qu'il pouvait y avoir de cruel dans les rites païens. Nombreuses sont, par exemple, les références au « *sang* » versé sur l'autel du sacrifice. Ce sang, souvent associé à la rage et à la démence, s'il fascine et terrifie tout à la fois, c'est parce qu'il est un symbole ambivalent de vie et de mort. Non moins saisissantes sont les évocations du « *couteau* » que Calchas• (le prêtre sacrificateur) s'apprête à plonger dans le cœur palpitant de la victime. Enfin, le soin apporté à la préparation de l'autel, du bûcher et de la victime (ornée de bandelettes) ainsi que l'image finale d'Agamemnon se voilant le visage au moment du sacrifice, sont autant de références précises au rituel antique. L'essentiel, cependant, réside dans la façon dont Racine a transformé un acte cruel, imposé de l'extérieur par des divinités inflexibles, en un acte librement consenti : un « don de soi ». Le tragique se concentre donc sur les deux personnages les plus impliqués dans le sacrifice : Agamemnon (le sacrifiant) et Iphigénie (la victime), tous les deux en proie à des luttes intérieures. À travers Agamemnon, Racine a peint un roi sans cesse tenté d'enfreindre l'ordre social, un père supplicié, vivant le sacrifice de son enfant comme une épreuve divine. Parallèlement, il nous montre la démarche douloureuse qui pousse une jeune fille amoureuse de la vie à renoncer aux plaisirs terrestres, pour s'identifier aux intérêts de la nation.

L'acceptation du sacrifice par Iphigénie prend donc une dimension morale de renoncement aux aspirations égoïstes, d'abnégation, d'abandon total à la divinité, compatible avec les convictions chrétiennes des spectateurs du XVIIᵉ siècle. C'est en partie pour ces raisons que la pièce émut si vivement les contemporains de Racine. À ces esprits nourris de la lecture de la Bible, la piété° exemplaire d'Iphigénie ne pouvait manquer de rappeler le dévouement de la fille de Jephté, immolée par son père en accomplissement d'un vœu imprudent. Jephté, devenu chef des habitants de Galad, dut combattre les Ammonites :

> Jephté fit un vœu au Seigneur et dit : « Si vraiment tu me livres les fils d'Ammon, quiconque sortira des portes de ma maison à ma rencontre quand je reviendrai sain et sauf de chez les fils d'Ammon, celui-là appartiendra au Seigneur et je l'offrirai en holocauste. » Jephté franchit la frontière des fils d'Ammon pour leur faire la guerre et le Seigneur les lui livra. Il les battit depuis Aroër jusqu'à proximité de Minnith, soit vingt villes, et jusqu'à Avel-Keramim. Ce fut une très grande défaite ; ainsi les fils d'Ammon furent abaissés devant les fils d'Israël.
>
> Tandis que Jephté revenait vers sa maison à Miçpa, voici que sa fille sortit à sa rencontre, dansant et jouant du tambourin. Elle était son unique enfant : il n'avait en dehors d'elle ni fils ni fille. Dès qu'il la vit, il déchira ses vêtements et dit : « Ah ! ma fille, tu me plonges dans le désespoir ; tu es de ceux qui m'apportent le malheur ; et moi j'ai trop parlé devant le Seigneur et je ne puis revenir en arrière. » Mais elle lui dit : « Mon père, tu as trop parlé devant le Seigneur ; traite-moi selon la parole sortie de ta bouche puisque le Seigneur a tiré vengeance de tes ennemis, les fils

d'Ammon. » Puis elle dit à son père : *« Que ceci me soit accordé :
laisse-moi seule pendant deux mois pour que j'aille errer dans les
montagnes et pleurer sur ma virginité, moi et mes compagnes. »* Il
lui dit : *« Va »* et il la laissa partir pour deux mois ; elle s'en alla,
elle et ses compagnes, et elle pleura sur sa virginité dans les
montagnes. À la fin des deux mois elle revint chez son père et il
accomplit sur elle le vœu qu'il avait prononcé. Or elle n'avait pas
connu d'homme et cela devint une coutume en Israël que d'année
en année les filles d'Israël aillent célébrer la fille de Jephté, le
Galaadite, quatre jours par an.

> Ancien Testament, *Le Livre des Juges*, 11,
traduction œcuménique de la Bible, Le Livre de Poche, 1979.

De la même façon, les tourments infligés à Agamemnon leur
faisaient revivre la cruelle épreuve imposée à Abraham,
quand Dieu, pour tester sa foi, lui demanda de sacrifier son
fils Isaac :

*Or après ces événements, Dieu mit Abraham à l'épreuve et lui dit :
« Abraham » ; il répondit : « Me voici ». Il reprit : « Prends ton fils,
ton unique, Isaac, que tu aimes. Pars pour le pays de Moriyya et
là, tu l'offriras en holocauste sur celle des montagnes que je
t'indiquerai. » Abraham se leva de bon matin, sangla son âne, prit
avec lui deux de ses jeunes gens et son fils Isaac. Il fendit les
bûches pour l'holocauste. Il partit pour le lieu que Dieu lui avait
indiqué. Le troisième jour, il leva les yeux et vit de loin ce lieu.
Abraham dit aux jeunes gens : « Demeurez ici, vous, avec l'âne ;
moi et le jeune homme, nous irons là-bas pour nous prosterner ; et
puis nous reviendrons vers vous. »
Abraham prit les bûches pour l'holocauste et en chargea son fils
Isaac ; il prit en main la pierre à feu et le couteau, et tous deux
s'en allèrent ensemble. Isaac parla à son père Abraham : « Mon
père, dit-il », et Abraham répondit : « Me voici, mon fils. » Il
reprit : « Voici le feu et les bûches ; où est l'agneau pour l'holocauste ? » Abraham répondit : « Dieu saura voir l'agneau pour
l'holocauste, mon fils. » Tous deux continuèrent à aller ensemble.
Lorsqu'ils furent arrivés au lieu que Dieu lui avait indiqué,
Abraham y éleva un autel et disposa les bûches. Il lia son fils Isaac
et le mit sur l'autel au-dessus des bûches. Abraham tendit la main
pour prendre le couteau et immoler son fils. Alors l'ange du
Seigneur l'appela du ciel et cria : « Abraham ! Abraham ! » Il
répondit : « Me voici. » Il reprit : « N'étends pas la main sur le
jeune homme. Ne lui fais rien, car maintenant je sais que tu
crains Dieu, toi qui n'as pas épargné ton fils unique pour moi. »
Abraham leva les yeux, il regarda, et voici qu'un bélier était pris
par les cornes dans un fourré. Il alla le prendre pour l'offrir en
holocauste à la place de son fils. Abraham nomma ce lieu « le*

*Seigneur voit »; aussi dit-on aujourd'hui : « C'est sur la montagne
que le Seigneur est vu. »*
*L'ange du Seigneur appela Abraham du ciel une seconde fois et
dit : « Je le jure par moi-même, oracle du seigneur. Parce que tu as
fait cela et n'as pas épargné ton fils unique, je m'engage à te bénir,
et à faire proliférer ta descendance autant que les étoiles du ciel et
le sable au bord de la mer. Ta descendance occupera la Porte de ses
ennemis ; c'est en elle que se béniront toutes les nations de la terre
parce que tu as écouté ma voix.*

Ancien Testament, *Genèse*, 22,
traduction œcuménique de la Bible, Le Livre de Poche, 1979.

Le Sacrifice d'Iphigénie *de Johann Rottmayr (Kunsthistoriches Museum).*

AMOUR/PASSION

•

• **Dans l'œuvre** : l'amour, dans *Iphigénie*, apparaît sous deux formes différentes. Il y a d'abord l'amour pur et désintéressé qui unit Achille et Iphigénie. C'est un sentiment partagé (les deux amants appartiennent au même monde), un sentiment noble et généreux qui, chose rarissime dans le théâtre racinien, débouche sur un heureux mariage. Chez ces deux êtres d'exception, l'amour est né de la reconnaissance de leurs mérites respectifs. Il semble donc promis à un bel avenir. Toutefois, avant de triompher, il est soumis à de rudes épreuves : la loi de la guerre (I, 2), la jalousie d'Ériphile (II et III, 11), l'incompréhension mutuelle (III, 6 ; V, 2) et l'hostilité du père (IV, 9). Avec ces ingrédients romanesques, on pourrait se croire, parfois, dans une bonne comédie d'intrigue. Mais ce qui ramène cet amour dans la sphère du tragique, c'est le fait qu'il a l'élan de la passion, les exigences de l'absolu. Pour obtenir Iphigénie en mariage, Achille a, en effet, mis sa vaillance au service d'Agamemnon (v. 1393 à 1396). Et pour sauver celle qu'il aime d'un affreux traquenard, il n'hésite pas à renoncer à ses rêves de gloire. Car, à la différence d'Agamemnon, Achille ne fait jamais prévaloir le droit de la guerre sur la vie d'Iphigénie. Défiant les dieux, bravant l'autorité d'Agamemnon et celle de Calchas•, il organise la rébellion dans le camp, au risque de sa propre vie. Cette force invincible, on la retrouve dans la façon dont Iphigénie vit le sentiment amoureux. Quelle touchante ferveur quand elle avoue son empressement à retrouver l'être aimé (v. 603 à 608) ! Quelle rage au cœur quand elle se croit évincée par une rivale (II, 5) ! Mais quelle détresse, surtout, quand elle apprend que son père lui interdit d'épouser Achille (V, 1) ! La mort lui apparaît alors comme la seule solution à ses souffrances. Iphigénie et Achille sont en fait deux figures idéalisées, dignes l'une de l'autre, et leur bonheur, à la fin de la tragédie, nous semble la juste récompense de leur grandeur d'âme. En contrepoint à cet amour heureux, il y a la passion d'Ériphile. Une passion refoulée, qui ne trouve jamais l'occasion de se déclarer. Une passion monstrueuse aussi qui, déjà, annonce celle de Phèdre. Cet amour sans espoir qu'éprouve Ériphile pour Achille est en effet marqué par la culpabilité, par le remords et l'obsession jalouse. Il n'est vécu que sur le mode de la souffrance et, après s'être manifesté par une infâme trahison, il débouche sur un suicide. Si l'amour n'occupe pas, dans *Iphigénie*, la place prépondérante qui lui est impartie dans d'autres œuvres de Racine (*Andromaque, Bajazet* ou *Phèdre*), c'est que les enjeux sont ici très différents. L'essentiel, dans cette tragédie qui a pour toile de fond la perspective de la guerre de Troie•, est moins la satisfaction des désirs personnels que la sauvegarde des intérêts nationaux. Le collectif prime l'individuel. L'amour n'en est pas pour autant réduit à un fade agrément destiné à satisfaire le goût des contemporains de Racine pour la galanterie amoureuse. Il reste, on l'a vu, un ressort dramatique essentiel.

• **Rapprochements** : l'amour tient une place de choix dans la littérature occidentale. Tous les siècles s'y sont intéressés. Toutefois, c'est plutôt la vision pessimiste d'un amour malheureux, impossible, ou lié à la fatalité qui l'emporte. Dès le Moyen Âge, le mythe de Tristan et Yseult, associant la passion à l'interdit et à la mort, contredit l'optimisme de la tradition courtoise et chevaleresque. Au XVIIe siècle, après les efforts de Corneille pour faire de l'amour un sentiment noble, conciliable avec l'honneur et la grandeur du héros (*Le Cid*, *Polyeucte*), les écrivains de la seconde moitié du siècle insistent, comme Racine, sur les effets néfastes de la passion (Mme de Lafayette dans *La Princesse de Clèves*, La Rochefoucauld dans ses *Maximes*, La Bruyère dans ses *Caractères*). Le romantisme et, en grande partie, la littérature du xxᵉ siècle continuent à associer l'amour à la souffrance (Proust, Alain Fournier dans *Le Grand Meaulnes*, Boris Vian dans *L'Écume des jours* ou M. Duras dans *L'Amant*).

AMOUR FILIAL
•

• **Dans l'œuvre** : Iphigénie est bien l'une de ces tendres héroïnes raciniennes qui se définissent avant tout par leur capacité à aimer. Si elle aime passionnément Achille, elle ressent aussi, à l'égard de son père, un attachement très fort. Cette pieuse affection est faite de respect, de tendresse et, par-dessus tout, d'une fervente admiration. À plusieurs reprises dans la tragédie, Iphigénie se flatte d'avoir pour père l'homme le plus puissant, le plus glorieux de la Grèce (v. 539 à 546, v. 716 à 722, v. 1001 à 1020, v. 1195 à 1202). Mais jamais cette vénération ne se manifeste avec autant d'enthousiasme, de candeur juvénile que dans la scène 2 de l'acte II, quand Iphigénie retrouve Agamemnon après une longue absence. Certains contemporains de Racine s'avouèrent même choqués par l'effusion avec laquelle la jeune fille prodiguait ses caresses à son père ! Mais si l'amour filial, chez cette adolescente exaltée, a pu donner l'impression de braver les convenances, c'est parce qu'il est vécu aussi intensément que la passion amoureuse. Cette affection est, en effet, un sentiment indestructible qui résiste à la pire des épreuves : la condamnation sans appel d'un père qui voue son enfant à la mort. Seulement, quand le dévouement filial s'avère inconciliable avec sa passion pour Achille (III, 6 ; V, 2), Iphigénie se retrouve face à un cruel dilemme. Lorsqu'en effet Achille lui demande de désobéir à son père, ou qu'Agamemnon lui enjoint de renoncer à son amant, elle comprend qu'il n'y a plus pour elle d'autre issue que la mort. Tout son équilibre affectif est détruit. Et les choses sont rendues plus complexes du fait qu'elle aime aussi très sincèrement sa mère : elle souffre de voir Clytemnestre furieuse contre Agamemnon, elle souffre de la voir brisée de douleur quand elle part s'offrir au sacrifice (V, 3). Ces conflits qui déchirent la conscience d'Iphigénie, joints à la menace de mort qui pèse sur la jeune fille, accentuent l'intensité dramatique des dernières scènes de la tragédie.
• **Rapprochements** : la littérature nous offre maints exemples de l'affection passionnée qu'un enfant peut éprouver à l'égard de son père ou de sa mère. Elle est sensible chez Télémaque qui brave tous les dangers pour retrouver Ulysse, absent depuis vingt ans et que tout le monde croit mort (*Odyssée*). Elle est très forte aussi chez Antigone qu'on voit guider son père aveugle, sur la route de l'exil, avec un dévouement exemplaire (Sophocle, *Œdipe à Colone*). Mais on pense également à des figures maternelles très attachantes, que des écrivains, plus proches de nous, ont idéalisées dans leurs œuvres : la mère de Colette, par exemple, dans *Sido*, ou bien encore la mère du narrateur, telle que nous la décrit Proust dans les premières pages de *À la recherche du temps perdu*.

DIEUX
•

• **Dans l'œuvre** : maîtres de la destinée des hommes, les dieux conduisent l'intrigue de bout en bout (cf. «Iphigénie ou la dramaturgie de la dérision», p. 150). Ce n'est pas un hasard si les mots *«dieux»* et *«ciel»* reviennent avec une telle insistance dans cette tragédie.

Les dieux sont partout : ils animent la nature de leur présence surnaturelle, ils hantent la conscience de tous les personnages, humbles et puissants, sans toutefois jamais se manifester de façon nette et tangible. Ils sont indubitablement les détenteurs du pouvoir suprême : ils représentent la loi par excellence, inexorable, absolue. Même Achille, avant de clamer haut et fort son insolente assurance, s'écrie : *«Les dieux sont de nos jours les maîtres souverains»* (v. 259).

Comparé à cette loi religieuse, qui transcende tout, le pouvoir temporel, exercé ici par Agamemnon, apparaît fragile et instable, comme une illusoire compensation accordée à la vanité humaine. L'ascendant que finit par prendre, au sein de l'armée, le devin Calchas• sur le *«roi des rois»* est bien révélateur de cette dévalorisation des puissances temporelles.

Dans cet univers fortement hiérarchisé, ce sont les dieux qui distribuent honneurs et richesses (la réussite d'Agamemnon ne peut être, aux yeux d'Arcas, que le fruit de la faveur divine), mais ce sont eux aussi qui poursuivent de leur haine la pitoyable Ériphile (v. 485-486), et exigent des Grecs, pour prix de leurs victoires, un sacrifice expiatoire. Et puis, surtout, il y a en eux quelque chose de paradoxal, car même quand ils sont favorables aux hommes, jamais ils ne leur indiquent le chemin à suivre. Aussi sont-ils toujours perçus comme des puissances redoutables, dont on se méfie et contre lesquelles, parfois, on se révolte (cf. Achille et Clytemnestre).

L'attitude d'Agamemnon vis-à-vis des dieux est certainement la plus ambiguë : elle se situe entre la soumission craintive (v. 1239) et la haine latente (v. 1225 et 1246). Seule Iphigénie fait preuve d'une véritable piété religieuse en ce sens où elle se soumet à l'injonction divine sans jamais se révolter. Cette piété, cependant, manifeste peut-être plus de respect pour les traditions que de véritable ferveur religieuse. De ce point de vue, on peut contester l'interprétation de Chateaubriand qui voit Iphigénie comme une chrétienne, une sainte qui s'offre au martyre (cf. *Critiques et jugements*, p. 155). L'importance, toutefois, que cette tragédie accorde au divin, marque la première étape de l'évolution de Racine vers la spiritualité : dans les dernières années de sa vie, il renoncera même au théâtre pour se consacrer à Dieu.

• **Rapprochements** : dans la façon dont Racine conçoit le divin, on discerne deux influences différentes mais complémentaires. Imprégné de culture grecque, Racine donne à ses dieux la cruauté, la versatilité de ces divinités païennes qu'on voit, dans les tragédies grecques, poursuivre de leur malédiction des individus ou des familles entières (les Labdacides et les Atrides• notamment). D'un autre côté, sa formation janséniste ne fait qu'accroître sa vision pessimiste de la divinité (cf. «L'influence du jansénisme», p. 135). Rares sont en effet les héros ou les héroïnes qui, dans ses tragédies, bénéficient de la grâce divine. En ce sens, il est très proche de Pascal (*Provinciales, Pensées*).

FAUTE
•

• **Dans l'œuvre** : la notion de faute est essentielle dans la tragédie racinienne dont les héros sont souvent des êtres dominés par des passions mauvaises pouvant les entraîner au crime. Si la faute se confond avec l'antique notion de fatalité (des êtres poussés malgré eux à faire le mal), elle prend une autre coloration du fait qu'il y a toujours, à l'arrière-plan des tragédies de Racine, la perspective chrétienne du péché originel (des êtres déchus aspirant désespérément à la pureté, au salut). Dans *Iphigénie*, toutefois, l'héroïne principale étant le modèle accompli de l'innocence, le motif de la faute semble atténué. La question qui se pose, justement, c'est de savoir pourquoi les dieux réclament le sang d'une jeune fille irréprochable. Quelle faute prétendent-ils ainsi châtier ? La première réaction d'Iphigénie, après la révélation d'Arcas, est de s'écrier : *« De quoi suis-je coupable ? »* (v. 922). De la même façon, quand Agamemnon et Clytemnestre s'interrogent à ce sujet, leurs questions restent sans réponse. Elles tendent même à présenter les dieux comme les véritables fautifs (v. 121-122, v. 921, v. 1221-1222, v. 1267-1268). On trouve bien, ici et là, quelques amorces d'explication : la fameuse malédiction des Atrides• (v. 1249 à 1252) ou la démesure – l'hybris des Grecs – (v. 1043 à 1046). Mais ce sont là de fausses pistes, tout au plus de belles évocations poétiques. On ne peut pas dire non plus qu'Iphigénie prenne sur elle la faute du père, puisque, dans la version retenue par Racine, Agamemnon n'a pas offensé les dieux (cf. *Racine et ses sources*, p. 137 à 145). En fait, comme tout repose sur un malentendu, il faut attendre le dénouement pour réaliser que la faute ne relève pas de l'univers d'Iphigénie, mais de celui d'Ériphile. C'est sur cette dernière que pèsent la fatalité, la malédiction divine. Née des amours coupables d'Hélène• et de Thésée•, elle finit par incarner le mal absolu dont l'élimination est nécessaire pour que les choses rentrent dans l'ordre. En ce sens, on peut dire, conformément à l'analyse de L. Goldmann dans *Le Dieu caché*, que la structure de l'œuvre repose sur une opposition radicale entre l'« *univers providentiel d'Iphigénie* » et l'« *univers tragique d'Ériphile* » (cf. *Critiques et jugements*, p. 155).

• **Rapprochements** : la hantise de la faute, on la trouve dans des œuvres fortement influencées par le christianisme. Elle apparaît notamment dans *Les Confessions* de Saint-Augustin, où la conscience angoissée d'une nature humaine déchue, tentée par le mal, s'accompagne de remords et d'une sincère volonté de rédemption. Cette perspective de rachat est sensible également chez Rousseau (*Les Confessions*), Hugo (*Les Misérables, La Fin de Satan*), ou Mauriac (*Thérèse Desqueyroux* et *Fin de la nuit*). C'est bien encore la conscience aiguë de la faute qui donne à certains poèmes de Villon et de Verlaine (*Sagesse*) les accents déchirants du repentir.

GLOIRE
•

• **Dans l'œuvre** : les tragédies de Corneille nous ont habitués à voir les actions et les réactions des personnages conditionnées par l'amour de la gloire. Dans l'univers grandiose où se déploie la tragédie, on est sensible au prestige que confèrent une illustre naissance, une famille prospère, des

179

richesses, des exploits guerriers et, bien sûr, le pouvoir. C'est parce qu'il cumule tous ces facteurs de réussite qu'Agamemnon est perçu par ses proches et par ses soldats comme un roi « glorieux » (v. 357). Il suscite admiration et envie. Aussi est-ce pour préserver cette image exaltante et flatteuse que les autres ont de lui, qu'il accepte de faire violence à ses vrais sentiments (« Ma gloire intéressée emporte la balance », v. 1430). Dans l'univers racinien, la gloire est une puissance redoutable dans la mesure où elle flatte l'amour-propre, cet amour égoïste de soi que Pascal critique avec tant de fougue. Ayant perdu tout ce qui, chez Corneille, la rattachait à l'héroïsme, elle n'est, le plus souvent, qu'un bel alibi servant à masquer des instincts égoïstes, des ambitions mesquines. Mais Agamemnon n'est pas le seul à s'y laisser prendre. Tous les Grecs sont prêts à le suivre dans une entreprise où le mirage de la gloire justifie le désir, moins noble, de s'enrichir. Chez Achille, le besoin effréné de gloire manifeste avant tout un orgueil démesuré : ce qui l'anime, c'est moins la volonté de servir sa patrie que la prétention de s'égaler aux dieux (v. 262). Cette vanité dans laquelle s'affadit la gloire, on la retrouve dans l'étalage pompeux que Clytemnestre fait de sa grandeur, dans le soin jaloux qu'elle attache à son image de marque (v. 626 à 633). Iphigénie, elle-même, trouve un secret réconfort dans l'idée que, par son sacrifice, la gloire d'Achille rejaillira sur elle (v. 1559 à 1562). Cynique pour sa part, Ulysse plaide la cause de la guerre auprès d'Agamemnon en lui faisant du chantage à la gloire : le sacrifice de l'enfant contre une belle victoire, une belle renommée et un peu plus de pouvoir (v. 318). Ce n'est plus là de la grande politique, c'est du machiavélisme diplomatique. Autant dire que le langage de la gloire abaisse ces héros, ces demi-dieux, au rang de l'humanité moyenne : il révèle leurs failles, leurs faiblesses.

• **Rapprochements** : cette conception négative de la gloire est propre aux écrivains influencés par le jansénisme (Pascal, La Rochefoucauld). Chez Corneille, au contraire, la gloire est indissociable de la grandeur. En elle se rassemblent toutes les valeurs héritées de la vieille chevalerie ; c'est une force exaltante qui canalise les énergies, stimule les volontés et pousse au dépassement de soi afin de parvenir à un noble idéal (Horace, Le Cid).

GUERRE
•

• **Dans l'œuvre** : la question autour de laquelle tourne le débat tragique : Iphigénie sera-t-elle sacrifiée ? en contient une autre, déterminante pour l'ensemble des Grecs : la guerre de Troie• aura-t-elle lieu ? Car l'enjeu du sacrifice, ce n'est pas seulement d'obtenir des vents favorables à la navigation, c'est aussi de se concilier la faveur des dieux afin qu'ils accordent la victoire aux Grecs au détriment des Troyens (v. 919-920). Aussi n'est-il question, tout au long de la tragédie, que de cette guerre qui doit venger l'honneur des Atrides• (le rapt d'Hélène•), combler de gloire les chefs les plus prestigieux de la Grèce (Agamemnon, Achille, Ulysse, Ménélas•, Nestor•), enrichir tout un peuple et, surtout, asseoir définitivement la suprématie de la Grèce aux yeux du monde. Les Grecs se sont unis pour se lancer dans une entreprise sans précédent : vaincre Troie, la perle de l'Asie•, la cité aux fabuleux trésors, superbement défendue par ses remparts. Tout le monde est conscient qu'il s'agit là d'une véritable démonstration de puissance, et Iphigénie elle-même en pressent les perspectives grandioses (v. 1541 à 1556). La guerre canalise toutes les énergies, toutes les ambitions, toutes les convoitises. Une même fébrilité pousse soldats et chefs d'armée à précipiter le départ de l'expédition (I, 2 ; V, 3), et tous les esprits sont obsédés par des images de destruction, magnifiées de splendeur poétique (« *Troie*• *embrasée* », « *Troie ensevelie* ») et prolongées par les visions d'un retour triomphal (v. 385 à 388). Les coups d'éclat par lesquels Achille vient de s'illustrer à Lesbos• (v. 446 à 449) et en Thessalie• (v. 102 à 109) ne sont que les prémices des exploits réservés à sa vaillance guerrière. À lui seul, Achille donne une dimension épique à cette tragédie : il incarne le type le plus achevé du guerrier « *impitoyable* », capable de réveiller toutes les ardeurs patriotiques. Quant à la situation d'Ériphile (esclave de guerre), elle présage déjà le sort qui sera réservé aux Troyennes. La guerre est donc omniprésente, elle est le nerf de la tragédie. Le décor bien particulier de la pièce suffit à le rappeler : la tente d'un commandant en chef dans un camp militaire, tout près d'une rade où se trouve rassemblée une puissante flotte de guerre. L'espace extérieur n'est peuplé que de soldats armés de « *dards* » et de « *javelots* ». Dans cet espace tragique où tout « *ressent la guerre* » (v. 786), la présence des femmes est exceptionnelle, leurs valeurs d'ailleurs y sont menacées.

• **Rapprochements** : c'est dans l'épopée surtout qu'on retrouve cette vision idéalisée de la guerre, associée à la quête exaltée de l'héroïsme et de la gloire (*Iliade*, *La Chanson de Roland*). Si la guerre est un thème fréquent en littérature, elle y est souvent présentée comme un fléau pour l'humanité. Certains écrivains en montrent l'absurdité (cf. la guerre pichrocholine dans *Gargantua* de Rabelais ou la critique qu'en fait Hector dans *La Guerre de Troie n'aura pas lieu* de Giraudoux) ; ils en dénoncent aussi la violence gratuite et barbare (Voltaire dans *Candide* et le *Dictionnaire philosophique*). D'autres, pour en souligner la réalité sordide, mettent l'accent sur la façon dont elle est vécue par les simples soldats, victimes innocentes parachutées sur un champ de bataille où la gloire est rarement au rendez-vous (Stendhal dans *La Chartreuse de Parme*, Céline dans *Voyage au bout de la nuit*, la guerre de 1870 vue par Maupassant dans ses *Contes et nouvelles* et Daudet dans ses *Contes du lundi*).

PÈRE
•

• **Dans l'œuvre** : dans *Iphigénie*, ce qui compte avant tout, c'est le salut de la communauté. Mais il y a va aussi du bonheur d'une famille. Et parmi les conflits familiaux que développe la tragédie, ressortent au premier plan les rapports qu'Agamemnon entretient avec sa fille. Si le « *roi des rois* » nous apparaît sur bien des points comme une figure royale déchue, il est en contrepartie une figure paternelle redoutable. Père inexorable, il accepte, par crainte des dieux, par devoir politique mais aussi par égoïsme, de sacrifier sa fille. Clytemnestre a beau tempêter, multiplier les offensives pour faire prévaloir ses droits de mère, Agamemnon reste le seul détenteur de l'autorité familiale. Père possessif et père tyrannique, il interdit par ailleurs à sa fille d'épouser l'homme auquel il l'avait d'abord destinée (IV, 8). Cette loi qu'il peut imposer librement est atroce. Elle émane, dirait-on, d'une société

181

encore archaïque où le père peut disposer impunément du sort – et de la vie – de ses enfants. Aussi s'en faudrait-il de peu qu'Agamemnon ne nous apparaisse comme franchement odieux. Mais, heureusement, ce roi est aussi un père humain. Un père misérable qui tente d'abord de sauver la face en refoulant ses vrais sentiments avant de céder à la tendresse. Ces tiraillements entre les deux pôles de sa personnalité (le bon père/le mauvais père) le rendent bien, parfois, assez pitoyable, mais dans l'ensemble, ils en font une figure plutôt pathétique.

• **Rapprochements** : c'est avec *Mithridate* qu'apparaît, pour la première fois dans l'œuvre de Racine, l'image d'un père menaçant. On y voit le roi des Parthes s'acharner à perdre son fils, Xipharès (son rival amoureux), avant de se repentir et de consentir au mariage des deux jeunes amants. Dans *Phèdre*, la menace se concrétise : Thésée°, croyant à tort son fils coupable, le maudit et provoque ainsi sa mort. Dans la littérature, on retrouve fréquemment la peinture d'un père hostile aux intérêts de ses enfants (dans bon nombre des comédies de Molière, par exemple), d'un père distant, voire indifférent (le père de Chateaubriand dans *Mémoires d'outre-tombe* ou le père du narrateur dans *À la recherche du temps perdu*), ou bien encore d'un père impitoyable qui, tel Don Diègue dans *Le Cid*, exige de son fils qu'il se sacrifie à l'honneur de la famille (Mérimée, *Mateo Falcone*). Mais à côté de cela, on trouve aussi l'image pathétique d'un père éperdu d'amour et de douleur (Hugo, *Les Contemplations*), souffrant parfois jusqu'au martyr (Balzac, *Le Père Goriot*).

POUVOIR
•

• **Dans l'œuvre** : l'exigence divine met en péril le pouvoir royal. Avant qu'elle ne se manifeste, Agamemnon était parvenu au faîte de la puissance et de la gloire. Nombreuses sont, en effet, au début de la tragédie, les marques de dévotion à son égard (v. 25-26, v. 270, v. 312, v. 545). Mais le choix difficile devant lequel le « roi des rois » se trouve placé, en même temps qu'il ébranle sa conscience, l'affaiblit sur le plan politique. Car, même si Agamemnon continue à exercer son pouvoir arbitraire de « monarque absolu » (cf. son attitude vis-à-vis d'Achille), il n'en est pas moins soumis à de fortes pressions susceptibles de compromettre son statut au sein de l'armée. Avant tout, il doit lutter contre sa propre faiblesse, d'où les interventions d'Ulysse qui, jouant sur le sentiment de la gloire, lui rappelle durement ce qu'il doit au service de l'État. D'autre part, Agamemnon a des rivaux, prêts à profiter de ses failles pour lui arracher le pouvoir. Aussi agit-il le plus souvent en secret, vouant par la même occasion ses entreprises à l'échec. Celui qui se présentait comme son plus fidèle allié, Achille, se retourne contre lui : fort de l'appui de ses Myrmidons (v. 1521-1522), il organise la sédition dans le camp. Quant à l'armée, bien manipulée par Calchas°, elle se fait de plus en plus menaçante. Tout cela finit par créer, dans les dernières scènes de la tragédie, un véritable état de crise : Agamemnon est littéralement dépossédé de son pouvoir (« *Calchas seul règne, seul commande* », v. 1625). Cependant, cette autorité qui lui a échappé, il la récupère pleinement dès que, la volonté des dieux ayant été éclaircie, il n'y a plus de contradiction entre les intérêts personnels du roi (sauver sa fille) et les aspirations de la communauté (partir à la conquête de

Troie*). L'image d'une monarchie «absolue» et de «droit divin» se trouve donc, en définitive, sauvegardée. Ce dénouement heureux devait rassurer pleinement Louis XIV et sa cour! Selon Glicksohn, *Iphigénie* décrirait une crise «provisoire autant qu'illusoire : au moment même de son triomphe, l'absolutisme s'offre, dans le monde clos du théâtre, le spectacle de ce qu'aurait pu être sa faiblesse» (*Iphigénie, de la Grèce antique à l'Europe des Lumières*).

• **Rapprochements** : il y a presque toujours, dans les tragédies de Racine, à côté des drames passionnels, des intérêts politiques en jeu. C'est le cas, par exemple, dans *Britannicus* où l'on voit Néron s'affranchir de la tutelle d'une mère tyrannique et éliminer son rival pour affirmer sa volonté de puissance. D'une façon générale, la passion du pouvoir, les excès ou les désillusions auxquels elle peut conduire sont des thèmes fréquemment abordés au théâtre. On les trouve notamment dans de nombreuses pièces de Shakespeare (*Macbeth, Le Roi Lear, Hamlet*), dans des drames romantiques (*Lorenzaccio* de Musset, *Hernani* de Hugo) et jusque dans des œuvres contemporaines (*Caligula* de Camus, *Antigone* d'Anouilh).

Jean Racine dessiné par son fils aîné,
sur la couverture d'un exemplaire d'Horace (B.N. Est.).

Argos : autre nom par lequel Racine désigne Mycènes•.

Asie : l'Asie Mineure, et plus particulièrement la région de Troie•.

Atrée : roi de Mycènes•, célèbre pour sa haine à l'égard de son frère, Thyeste• et à leurs descendants : Agamemnon, Ménélas•, Égisthe. Un destin cruel s'acharna contre cette famille qui fut déchirée par des drames sanglants, des haines inexpiables.

Atrides : nom donné aux deux frères Atrée• et Thyeste• et à leurs descendants : Agamemnon, Ménélas•, Égisthe. Un destin cruel s'acharna contre cette famille qui fut déchirée par des drames sanglants, des haines inexpiables.

Aulide : autre nom d'Aulis, port de Béotie où eurent lieu les derniers préparatifs et le rassemblement de la flotte grecque avant son départ pour la guerre de Troie•.

Calchas : descendant d'Apollon, doué du don de prophétie, il fut le devin officiel des Grecs pendant la guerre de Troie•.

Diane (Artémis) : déesse de la chasse. Chaste et farouche, elle punissait tous ceux qui l'offensaient. En Tauride (l'actuelle Crimée) on lui sacrifiait même des étrangers. Pendant la guerre de Troie•, elle prit le parti des Troyens.

Europe : désigne ici la Grèce.

Hélène : fille d'une simple mortelle, Léda, et de Zeus. Convoitée par de nombreux héros en raison de sa beauté, elle fut d'abord enlevée par force par Thésée• puis, après avoir été délivrée par ses frères Castor et Pollux, elle devint l'épouse de Ménélas•. Après son rapt par Pâris•, elle vécut à Troie•. À la fin de la guerre elle se réconcilia avec Ménélas et revint vivre à Sparte•.

Hellespont : le détroit des Dardanelles. Troie• est située sur la côte asiatique de ce détroit.

Hermione : fille unique d'Hélène• et de Ménélas•. Elle épousa Oreste•.

Ilion : autre nom de Troie•.

Jupiter (Zeus) : le dieu suprême de l'Olympe. Il régnait en maître absolu sur les dieux et les hommes. Son principal attribut, la foudre, symbolise sa toute-puissance.

Larisse : Larissa, ville de Thessalie• sur laquelle régnait Achille•.

Lesbos : île de la mer Égée.

Mégère : l'une des Érinyes, nées du sang d'Ouranos mutilé. Représentée sous la forme d'un génie ailé à la chevelure entremêlée de serpents, elle incarne la «Haine» et inflige aux hommes de cruels tourments.

Ménélas : frère d'Agamemnon et roi de Sparte•. L'enlèvement de sa femme, Hélène•, par le troyen Pâris• fut à l'origine de la guerre de Troie•. Pour obtenir réparation de l'offense, il sollicita l'aide de son frère et des anciens prétendants d'Hélène.

Mer Égée : mer qui sépare la Grèce de l'Asie• Mineure.

Mycènes : puissante ville du Péloponnèse dont Agamemnon était roi. Au cours du deuxième millénaire av. J.-C., elle fut le centre d'une brillante civilisation.

Neptune (Poséidon) : dieu de la mer, presque aussi redoutable que son frère Jupiter• (Zeus). Il était capable, à son gré, d'apaiser ou de déchaîner les tempêtes. Le plus souvent, on le représentait vivant au fond des eaux.

Nestor : roi de Pylos, le plus âgé de tous les héros qui participèrent à la guerre de Troie• (il avait obtenu d'Apollon le privilège de vivre trois générations d'homme). Il était respecté pour sa sagesse et sa modération.

Oreste : jeune frère d'Iphigénie, rendu célèbre par les tragiques grecs qui racontent comment, après la guerre de Troie•, il vengea la mort de son père en tuant sa propre mère Clytemnestre.

Pâris : troyen, fils de Priam•. Ayant à choisir entre Athéna, Aphrodite et Héra, il désigna Aphrodite comme la plus belle des déesses. Celle-ci, pour le récompenser, lui permit d'enlever Hélène•.

Parques : nom latin des Moires grecques. Ces trois divinités (Clotho, Lachésis et Atropôs), représentées comme des fileuses, présidaient aux trois étapes essentielles de la vie : la naissance, le mariage et la mort.

Patrocle : ami d'Achille. Il l'accompagna à Troie• où il succomba sous les coups d'Hector. C'est sa mort qui incita Achille à reprendre les armes après sa brouille avec Agamemnon et à tuer Hector en combat singulier.

Pélée : à ce simple mortel les dieux donnèrent en mariage la nymphe Thétis•. Pour se soustraire aux étreintes de son mari, celle-ci prit les formes les plus diverses, mais Pélée réussit à la vaincre. De leur union naquit Achille.

Priam : vieux roi de Troie•, marié à Hécube. Son grand âge ne lui permit pas de participer activement à la guerre. Il présidait les conseils, laissant son fils Hector diriger les opérations militaires. Il est aussi le père de Pâris• et de Cassandre.

Scamandre : autre nom du Xanthe•, fleuve qui coule près de Troie•. Un épisode de l'*Iliade* raconte comment ce fleuve, considéré comme un dieu, gonfla ses eaux pour tenter de noyer Achille.

Sparte : ville du Péloponnèse dont Ménélas• était roi. Avant lui régnait Tyndare•, père de Clytemnestre.

Télémaque : jeune fils d'Ulysse et de Pénélope. Il était resté à Ithaque pendant la guerre de Troie•. Quand Ulysse fut de retour après vingt ans d'absence, il l'aida à vaincre les prétendants.

Thésée : roi légendaire d'Athènes. Fils d'Égée, il était célèbre autant pour ses exploits (lutte contre le Minotaure) que pour ses conquêtes amoureuses (Hélène• mais aussi Antiope, la reine des Amazones, Ariane et Phèdre).

Thessalie : région sauvage située au nord-est de la Grèce. Achille était un prince thessalien : son père Pélée• régnait sur la partie sud-est de cette région : la Phtiotide.

Thétis : fille de Nérée. Comme un oracle avait révélé que le fils qui naîtrait de cette déesse marine serait plus puissant que son père, Zeus et Poséidon renoncèrent à la courtiser et la donnèrent en mariage à Pélée•. Elle chercha à rendre immortel son fils Achille en le plongeant dans les eaux du Styx.

Thyeste : fils de Pélops et d'Hippodamie et frère jumeau d'Atrée•. Il fut vaincu dans la lutte qui l'opposa à son frère pour le pouvoir, mais son fils Égisthe le vengea et lui rendit le royaume de Mycènes•.

Troie : ville fortifiée située au nord-ouest de l'Asie Mineure. Assiégée par les Grecs pendant dix ans, elle fut détruite de fond en comble.

Tyndare : père de Castor et de Clytemnestre, et père «humain» de Pollux et d'Hélène• (nés de l'union de Léda et de Zeus métamorphosé en cygne). Il régna sur Sparte• avant de léguer son trône à Ménélas•, devenu son gendre. Comme sa fille Hélène avait été courtisée par de nombreux prétendants, il leur fit prêter un serment : ils se devaient de porter secours à Ménélas au cas où celui-ci serait offensé.

Xanthe : fleuve qui coule près de Troie•. On l'appelle aussi le Scamandre• (cf. v. 1377).

Les numéros de vers, indiqués entre parenthèses, ne sont évidemment pas exhaustifs : ils ne constituent que des exemples parmi bien d'autres références. Cette remarque vaut aussi pour les lexiques des pages 188-189.

aigrir : irriter, exacerber (v. 139).

alarmes : vives inquiétudes provoquées par un danger imminent (v. 569, 1553).

amant, amante : qui aime et est aimé(e) en retour (v. 101, 598) ; « Amants » a toutefois le sens exceptionnel de « prétendants » aux vers 300 et 619.

amitié : affection profonde (v. 410, 1451).

à peine : avec difficulté (v. 343, 1243).

artifice : ruse (v. 181, 1254).

balancer : hésiter (v. 1118).

bord : rivage (v. 272, 935).

cependant : pendant ce temps (v. 392, 1693).

chagrins : souffrances (v. 419).

charmer : ensorceler, envoûter (v. 80, 350).

connaître : reconnaître (v. 389).

content : satisfait (v. 1720, 727) ; se contentant de (v. 971, 1395).

courage : cœur (v. 638).

cruel : qui torture (v. 557, 819).

déçue : trompée (v. 1657).

destin : avenir fixé par les dieux (v. 347, 709).

détester : maudire (v. 495, 683).

effet : acte (v. 745).

empire : pouvoir suprême (v. 823, 1291).

en effet : en réalité (v. 270).

enfin : à la fin (v. 251).

ennui : tourment insupportable (v. 567, 1728).

entendre : comprendre (v. 662, 1421).

envie : jalousie (v. 209).

erreur : ignorance (v. 428).

étonnant : extraordinaire (v. 47, 542).

étonnement : stupéfaction semblable à celle que provoque un coup de tonnerre (v. 467, 544).

étonner : frapper de stupeur (v. 180, 1785) ; paralyser (v. 1053).

fatal : voulu par le destin, avec une nuance de mort (v. 403, 1406).

feux : sentiments passionnés en langage galant (v. 512).

fier : orgueilleux (v. 821, 1411).

flamme : au sens figuré, désigne la passion amoureuse (v. 1045, 1215).

flatter (se) : (se) bercer de faux espoirs (v. 48, 566).

foi : fidélité aux engagements pris (v. 127, 956) ; confiance (v. 1324).

fortune : condition, bonne ou mauvaise, imposée par le destin (v. 10, 930).

funeste : mortel (v. 393, 466).

fureur : folie, égarement (v. 147, 1643) ; folle passion (v. 505).

furieux : dément (v. 295, 675).

gloire : renommée, prestige, éclat que donne la grandeur liée au rang, au pouvoir (v. 25, 758).

honneur : titre de gloire (v. 32, 380) ; conscience des devoirs imposés par le rang (v. 258, 1345).

horreur : vive frayeur qui fait se dresser les cheveux sur la tête (v. 580, 915).

hymen : mariage (v. 20, 649).

hyménée : cérémonie du mariage (v. 786, 846).

ingrat : qui ne répond pas à l'amour qu'on lui porte (v. 639, 699).

injurieux : injuste (v. 663, 879).

intérêt : attachement (v. 378).

jaloux de : farouchement attaché à (v. 1453, 1725).

manie : folie (v. 1085).

miracle : prodige (v. 51, 1730).

nœuds : liens affectifs (v. 111).

noir : horrible (v. 122, 1757).

nom : renommée (v. 256).

nouveau : inconnu, étrange (v. 730).

opprimer : accabler de douleur (v. 321, 1618) ; causer la perte de quelqu'un (v. 1465).

ouïr : entendre (v. 67).

passant : dépassant (v. 465).

perfide : qui trahit les engagements pris (v. 700, 944).

piété : attachement, affection (v. 118) ; devoir à l'égard des dieux (v. 1626).

pompe : déploiement de faste dans une cérémonie (v. 192, 1485).

pompeux : majestueux, grandiose (v. 26, 573).

presser : hâter (v. 653) ; serrer (v. 492) ; accabler de douleur (v. 479).

prévenir : devancer (v. 1071).

prompte à : prête à (v. 504).

que si : si (v. 323).

sang : au sens figuré, désigne la race (v. 444, 644), la descendance (v. 379, 1015) ou les liens qui unissent les différents membres d'une famille (v. 1123, 1451).

sans doute : à coup sûr (v. 485, 956).

séduire : tromper (v. 779).

sévère : cruel (v. 1321, 1581).

soigneux : soucieux (v. 273).

soins : efforts, précautions (v. 331, 1235) ; soucis (v. 583, 1091) ; marques d'attachement (v. 563, 594).

sort : destinée (v. 366, 438).

souffrir : accepter (v. 203) ; supporter (v. 1011).

succéder : réussir (v. 831).

succès : réalisation (v. 175).

superbe : orgueilleux (v. 326, 422) ; somptueux (v. 807).

timide : craintif (v. 138, 605) ; dicté par la peur (v. 276).

tourment : torture morale (v. 511, 1111).

transport : élan passionné (v. 47, 602).

triste : sombre, funeste (v. 505) ; voué au malheur (v. 471, 1590).

trop : très (v. 596, 1221).

trouble : bouleversement dû à une forte émotion (v. 1173, 1504).

vain : impuissant (v. 1623).

vertu : courage (v. 1665).

zèle : dévouement (v. 126) ; ardeur extrême (v. 197) ; ferveur religieuse (v. 1624).

187

amour : est indifféremment masculin ou féminin au XVIIe siècle (v. 117, 1276, 1640).

devoir : au passé composé, ce verbe peut prendre une valeur de conditionnel : «*j'ai dû*» = «*j'aurais dû*» (v. 686, 1317).

qui : ce pronom interrogatif s'emploie pour désigner une personne mais aussi une chose (v. 533, «*à qui*» = «*à quoi*»).

Particularités de certains accords :
• un verbe qui a plusieurs sujets s'accorde souvent avec le sujet le plus rapproché (v. 99, 905, 1345) ;
• le participe présent s'accorde comme un adjectif (v. 1792).

Particularités de certaines constructions :
• le pronom complément d'un verbe à l'infinitif se place devant le verbe conjugué (ainsi au vers 430, «*je ne me puis connaître*» signifie «*je ne puis me connaître*» ; cf. aussi v. 821, 991) ;
• la construction du gérondif est libre : son sujet peut être différent du sujet de la proposition dont il dépend (au vers 1037, «*en arrivant*» se rapporte non pas au sujet «*récit*» mais au pronom complément «*m'*» et équivaut à «*alors que j'arrivais*» ; cf. aussi v. 166, 1256) ;
• de la même façon le participe et l'adjectif se rapportent parfois non pas au sujet de la phrase mais à un complément (V. 14, 453, 603) ;

• le verbe d'une relative ne tient pas forcément compte de l'antécédent (v. 902 : «*puisse*» = «*puissiez*») ;
• certains verbes admettent une double construction (aux v. 190 à 192, de «*voudrait*» dépendent à la fois un infinitif et une subordonnée complétive ; cf. aussi v. 74 à 78) ;
• certains verbes ont une construction différente de celle d'aujourd'hui (v. 716 : «*à qui vous insultez*» = «*que vous insultez*» ; v. 320 : «*ne commande les Grecs*» = «*ne commande aux Grecs*»).

Emploi modifié de certaines prépositions :
• ainsi «*de*», là où nous utiliserions «*à*» (v. 316 et 372), «*sur*» (v. 347), «*par*» (v. 557 et 589) ou «*avec*» (v. 819) ;
• au vers 501, «*à*» équivaut à «*par*» et «*dès*», au vers 703, à «*depuis*».

Emploi modifié des relatifs :
• «*où*» est souvent employé à la place d'un relatif composé et signifie «*à laquelle*», «*auquel*» (v. 11, 925, 1230) ;
• «*que*» peut avoir la valeur de «*où*» (v. 43, 403) ;
• «*par qui*» = «*par lesquelles*» au vers 489, et «*à qui*» = «*auquel*» au vers 850.

Expression modifiée du souhait :
• «*Que puisse*» = «*puisse*» (v. 170) ;
• inversement, «*Les dieux daignent*» = «*que les dieux daignent*» (v. 571).

accumulation : juxtaposition de termes, dans le but de renforcer une idée (v. 117 à 119, v. 17).

allégorie : personnification d'une idée, d'une abstraction (v. 1734-1735).

allitération : effet auditif obtenu par la répétition d'un même son consonantique sur un ou plusieurs vers (V. 64 à 66, v. 1698).

anaphore : effet rhétorique obtenu par la répétition d'un même mot, d'une même expression en début de vers ou en tête de phrase (v. 112 à 115, v. 804 à 806).

antithèse : rapprochement de mots ou d'idées qui s'opposent fortement (v. 368, v. 1673).

apostrophe : figure qui consiste à interpeler directement un personnage, présent (v. 277) ou absent (v. 121).

assonance : effet auditif obtenu par l'emploi répété d'un même son vocalique sur un ou plusieurs vers (v. 1771-1772).

césure : pause qui sépare l'alexandrin en deux hémistiches* de six syllabes. C'est une place métrique importante.

chiasme : effet de style obtenu par la disposition de termes ou d'idées sous forme croisée (v. 895-896 : «*le doux moment / le moment heureux*» ; cf. aussi v. 1093).

diérèse : prononciation en deux émissions de voix d'une seule syllabe («*sacrifi-er*» au v. 912, «*défi-er*» au v. 911).

distique : ensemble formé par deux vers présentant une unité syntaxique (v. 1203-1204, v. 1205-1206).

enjambement : poursuite d'un vers sur la moitié ou l'ensemble du vers suivant (v. 825-826, v. 835-836).

hémistiche : moitié d'un vers, composé de six syllabes dans l'alexandrin classique.

hyperbole : figure de style qui consiste à exagérer, à intensifier démesurément une idée (v. 21-22, v. 27).

litote : figure d'euphémisation qui vise à suggérer une idée ou une réalité en l'atténuant volontairement («*un peu de sang*» = le sang d'Iphigénie au v. 318 ; cf. aussi v. 497).

métaphore : image qui introduit, sans termes de comparaison, une relation d'identité entre deux éléments différents (v. 107 : «*ce torrent*» pour désigner Achille).

métonymie : par cette figure, on exprime une notion au moyen d'un terme qui lui est lié sous un certain rapport (la matière pour l'objet : «*le fer*» = le couteau ; la partie pour le tout : «*la main qui vous l'ôta*» au v. 454 = Achille ; ou bien encore le singulier pour le pluriel : «*le soldat étonné*» au v. 1785 pour les soldats).

oxymore : alliance de termes contradictoires, suscitant un effet de surprise (v. 1237 : «*ma faible puissance*» ; v. 981 : «*ce sanglant hyménée*•»).

périphrase : emploi de plusieurs termes à la place d'un mot simple (v. 471 : «*Ce destructeur fatal*• *des tristes*• *Lesbiens*» = Achille).

rejet : report d'un élément bref, lié par le sens au vers précédent, sur le début du vers suivant (v. 135, v. 745).

stichomythie : dialogue très vif correspondant à un moment de grande tension : les personnages s'affrontent en de courtes répliques (v. 568 à 575).

synérèse : prononciation d'une syllabe en une seule émission de voix («*dieux*» aux vers 160 et 940). C'est le contraire de la diérèse*.

LA GRÈCE ANCIENNE

Sur le xviie siècle
•

A. ADAM, *Histoire de la littérature française au xvif siècle,* tome IV, Domat-Del Duca, 1954.
P. BÉNICHOU, *Morales du Grand Siècle,* Gallimard, 1948.
F. BLUCHE, *Louis XIV,* Fayard, 1986.
L. GOLDMAN, *Le Dieu caché,* Gallimard, 1956.
P. GOUBERT, *Louis XIV et vingt millions de Français,* Fayard, 1966.
J. SCHERER, *La Dramaturgie classique en France,* Nizet, 1950.
J. TRUCHET, *La Tragédie classique en France,* 1975, 2e éd., PUF, 1989.

Sur Racine
•

R. BARTHES, *Sur Racine,* Seuil, 1963.
PH. BUTLER, *Classicisme et Baroque dans l'œuvre de Racine,* Nizet, Paris, 1959.
M. DELCROIX, *Le Sacré dans les tragédies profanes de Racine,* Nizet, Paris, 1970.
R. ELLIOT, *Mythe et Légende dans le théâtre de Racine,* Minard, 1969.
J.-M. GLICKSOHN, *Iphigénie, de la Grèce antique à l'Europe des Lumières,* PUF, Paris, 1985.
L. GOLDMANN, *Situation de la critique racinienne,* L'Arche, 1971.
R.-C. KNIGHT, *Racine et la Grèce,* Boivin, Paris, 1950.
CH. MAURON, *L'Inconscient dans l'œuvre et la vie de Racine,* 1957, rééd. José Corti, 1969.
R. PICARD, *La Carrière de Jean Racine,* Gallimard, 1956.
J. POMMIER, *Aspects de Racine,* Nizet, 1954.
J. ROHOU, *L'Évolution du tragique racinien,* SEDES, 1991.
J. SCHERER, *Racine et/ou la Cérémonie,* PUF, 1982.
J. STAROBINSKI, *L'Œil vivant : «Racine et la poétique du regard»,* Gallimard, 1961.
A. VIALA, *Racine, la stratégie du caméléon,* Seghers, Paris, 1990.

Sur le problème du sacrifice
•

R. GIRARD, *La Violence et le Sacré,* Grasset, 1972.
M. MAUSS, *Les Fonctions sociales du sacré,* Paris, éd. de Minuit, 1968.

FILMOGRAPHIE

Iphigénie, film réalisé par Michaël Cacoyannis, en 1977. Avec notamment Irène Papas dans le rôle de Clytemnestre et Tatiana Papamoskou dans celui d'Iphigénie.

DISCOGRAPHIE

Iphigénie en Aulide, opéra de Gluck sur un livret de Le Blanc du Roullet, sous la direction de John Eliot Gardiner. Erato-Musifrance, WE 815-ZA.

Jean Racine, le portrait de Langres,
attribué à François de Troy (B.N., Estampes).

Imprimé en France, par Hérissey à Évreux (Eure) - N° 123095
Dépôt légal : 09/2014 - Collection 65 - Édition N° 05
16/9487/6